어스름 무렵의 童話

어스름 무렵의 童話

머리말

만성 우울증 환자인 나는 골방에 처박혀 공상, 망상을 즐기는 게 일이다.. 그것이 나와 세상이 소통하는 방법이다.

누구나 자신의 재능이 무엇이고 젬병이 무엇인지 잘 안다. 나의 경우는 문학 장르 중에서 '에세이'에 제일 재주가 없다. 그래서 에세이라 칭하지 않고 그냥 '단상' 정도로 제목을 달고 끄적이는 일이 다반사인데 그래도 한 번쯤은 <에세이집>이라는 타이틀로 책을 내보고 싶었다.

그것은 아마 나의 정서가 늘상 메마르고 팍팍하고 성마른 탓일 게다. 그래서 시, 에세이에 재능있는 이들이 부러우면서도 나와는 별개의 사람으로 여겨지기도 한다. 이렇게 딱 한 번쯤 나도 내게 '별개의 존개'이고 싶었던 까닭에 이 책을 쓰게 되었는지 모른다.

    타인에 대한 관용보다는 밀어내기에 급급한 나
의 성정에 이 책이 가끔은 진정제 tranquilizer 역할
을 해주었으면 하는 바람을 품는다면 망상일까?

    본문 수록 대부분의 이미지는 google에서 가져왔
다.

    박순영 씀

지은이

박순영

소설가/출판사 <로맹>대표/전 방송작가

소설집/응언의사랑/페이크/엑셀/흐린날의달리기/강변의추억

예술에세이/ 낭만주의는 페시미즘이다

독서에세에/연애보다 서툰 나의 독서일기

영화에세이/영화에세이

사회심리학/재혼하면 행복할까 개정판, 공저

자기계발/어리바리 나의 출판일기

차례

<굿바이 푸바오>

오늘이 일반공개 마지막이라는 푸바오...

바로 옆에 <가자지구 아이들 아사>라는 기사를
제치고 내게 픽업되었다.
이게 맞는 일은 아니겠지만 이쁜건 어쩔수 없다...

놀아도 대나무 장난감으로 논다니 그것마저 귀엽
기만 하다.
내가 중국을 동경하지 않고 중국어에도 관심이 없
으니 중국 가서 저 녀석을 볼 일은 없겠지만
그래도 기억은 할듯 싶다.

신은 어쩌면 저렇게 눈탱이 검탱이를 만드셔서 온
세상 귀여움을 독차지하게 하셨는지...
바오야, 가서 중국어 배운다고 우리말 까먹지 말
고, 건강하게 무럭무럭 커, 알았지?

어스름 무렵의 童話

<편의점에서 찾은 행복>

온통 꼬이는 날이있다. 아침에 밥 먹으려고 하면 밥통이 비어있든가. 밥하고 나면 반찬이 없든가.

오늘이 내겐 그런 날이었다. 매주 월요일이면 가는 정신과에서 한 5분더 상담했다고 평소보다 2000원이나 더 내야 했고 오랜만에 친구한테 보낸 톡은 읽씹 당했다.

이렇게 온통 꼬이고 뒤엉키고 안 풀리는 날은 나는 대체로 먹어댄다. 아주 흔한 방법이지만 편의점에 들러 과자, 도시락, 음료나 캔맥, 그 외 먹을 걸 잔뜩 집어들고 나오는 순간 나는 더 이상 고독하지 않다. 그 누구의 방해도 받지 않고 오롯이 내가 나와 마주할 시간이 기다리고 있기 때문이다.

언제부턴가 외롭고 힘들고 어려운 시간이 오면,

지인이나 친구에게 연락하는 대신 이렇게 나 홀로 내 방식으로 해결하는 경우가 많아졌다. 먹든, 운동하든, 오지 않는 잠을 억지로 자든..

그건 아마, 내가 구하려 했던 위안을 그들로부터 얻지 못한다는 결론을 얻었기 때문은 아닐까? 위로가 아닌 비아냥, 공감이 아닌 지적질, 뭐 그런것들이 돌아왔기 때문에?

누구나 자기 십자가를 지고 살아간다 . 다들 힘든데 거기다 나 힘들다고 어필하는 자체가 짜증과 피곤을 유발할 수 있다는 정도는 나도 안다. 하지만 친구고 연인이고 가까운 지인이어서 하소연도 하는 것인데.

그렇게 내게 잔뜩 상처를 안져준 다음 시간이 흐르면 그들로부터 연락이 온다. 아무 일 없었다는듯이. 그리고는 자기들의 힘든 상황을 이야기한다. 어디가 아프다거나 아이가 공부를 못한다거나..그럼 나도 얼른 그 전화나 메시지를 끝내고 싶어진다.. 하지만 그들처럼 아픈 데를 더 후빈다거나 위로가 필요한데 비아냥거리는 일은 최소한 하지 않는디.

미국의 시인 로버트 프포스트의 <자작나무>라는 시를 보면 '혼자여서 야구를 배울수 없고...혼자 놀아야 했다..' 이런 귀절이 나오는데 언젠가 시평을 올릴 경지?에 이르면 꼭 한번 다루고 싶은 시다. 그와 함께 t.s엘리엇의 <프루프록의 연가>도 같이 읽고 싶은데. 두 시 다 모두 삶이라는 우주에서 고립돼 외롭고 음울한 자기만의 내면에서 혼자 놀고 서성이는 이야기를 다루고 있다.

혼자이길 강요하는 시간이 오면 , 고독이라는 손님이 찾아오면 굳이 타인을 부르거나 의지하지 말라는 게 내 생각이다. 그들로부터 받은 상처며 배반이 얼마든가. 차라리 그 시간에 책을 보고 끄적이고 잠을 자고 아니면 차라리 나처럼 편의점 투어를 하라는 게 내 조언이다. 편의점에서 먹는 컵라면과 삼각김밥, 그리고 커피 한잔이면 나만의 알뜰한 고독은 완성된다.

내 경험에 비추어보면 내 삶의 그나마 긍정적 변곡점은 혼자, 외로울때 시도하는 것들에 기인한거 같다. 비단 나만의 경우는 아니리라...

<그리운 라디오>

작가, 프리랜서, 난 이런 것들이 반실업과 뭐가 다른가를 솔직히 잘 모른다. 본업이 따로 있으면서 글에 대한 애정, 글쓰기의 보람 등이 동기가 돼서 글을 쓰는 정도면야 이해가 가지만 글쓰기 하나로 생존을 해결하려 한다는 건 분명 모험이라고 생각한다. 나 역시 늘 이렇게 불안불안하게 생존한다.

그러다보니 오늘은 혹시 창작유료 플랫폼을 찾아보고 싶다는 생각이 들어 검색을 해봤고 몇군데 있다는 것을 알아냈다. 나도 한번? 이런 생각을 잠시 해보았다. 하지만 포기하였다.

글쓰기만도 버겁고 어떤 땐 귀찮은 일인데 유료 구독까지 관리 해야 한다니...그래도 유료 구독이 완만하게라도 늘면 좋지만 반대일 경우는 매우 난감할 것 같다.

난 책으로는 아직까지는 그리 돈을 벌어보지 못하였다. 처음 문예지로 등단해서 몇 편의 청탁 글을 실었지만 고료가 제대로 지급되지 않아 그만 둔 케이스다. 대신 이런저런 방송글로 약간의 돈을 벌어봤다. 오랜만에 예전에 라디오를 같이 썼던 작가 친구로부터 오랜만에 전화를 받았다. 자기에게 들어온 일거린데 자긴 지금 지방 라디오를 쓰고 있어서 할 수가 없다하면서 나를 추천했다는 내용이었다.

그렇게 해서 난 남도 일대에 송출되는 서울 소재 모 방송의 라디오를 쓰게 되었고 급여도 꽤 높았다. 대신 보조작가 체계가 없어 오롯이 혼자 다 써내야 하는 고되기 이를 데 없는 그런 일이었다. 그래서 처음 2주간은 그야말로 잠도 못 자고 살인적 원고량에 치여 쓰다가 죽는다고 해도 이상할 게 없을 지경이었다. 그 2주가 지나갈 즈음 그 친구로부터 전화가 왔다. 살아있냐?

자기도 예전에 해봤는데 처음 보름이 고비라고. 그걸 넘기면 오래 한다는 말에, 그럼 이걸 해서 차도 사고 집도 넓혀야지 생각했는데 세상일이 내 마음 같지 않았다. 그 일은 몇 개월을 넘기지 못하고 그만 둬야했다. 사정을 다 애기하자면 너무 길고 복잡하고 유쾌한 기억도 아니다.

그러나 그 시간은 나를 우울감으로부터 건져내 준 고마운 선물 같은 시간이었다. 생방으로 진행됐고 자정에야 끝이 나면 난 바쁘게 스태프에게 인사를 하고는 막차를 타기 위해 뛰어나왔다. 그리고는 버스에 올라 꾸벅꾸벅 졸면서 집에 오곤 하였다.

지금은 그 친구와도 소원해졌지만 짧지만 소중한 그 시간을 내게 선물해준 고마운 존재로 기억하고 있다. 물론, 처음 2주의 혹독한 인턴?기를 지나 여의도 어느 레스토랑에서 만났을때 내가 밥을 사긴 했다.

그때 번 돈으로 난 대학원을 다녔고 책을 샀다. . 고된 업무 속에서도 이런저런 꿈을 꾸게 해준 그 몇 달이 난 지금도 소중하기만 하다. 그리고 다시 라디

오 일을 하고 싶다. 독자들 중에 만약 라디오 제의
가 들어오면 무조건 ok하기를 바란다. TV는 정신이
없다. 시청률, 광고, 요란함, 엎어짐....

<멜랑코리아>

습도가 높아선지 몸이 무겁고 무기력하다. 오늘
비 올 확률 60%라더니 오긴 오려나보다...

유럽 여행 갔을 때 베니스와 베른에서 폭우를 만
난 기억이 있다. 빗소리 들으면서 먹었던 베니스의
현지식 파스타는 아무 맛도 안 났다. 그래서 난 계
속 salt salt!를 외쳤지만 누구도 소금을 가져다 주
진 않았다 인심 한번 드럽군.... 그 다음엔 스위스에
서 폭우를 만나 호텔 방에 거의 갇히다시피 했다.
그러니 무슨 구경을 했겠는가...뒤늦게 비 그친 호수
를 잠깐 본 거 외엔.

이렇게 길 떠나면 고생인데 거기에 궂은 날씨 때
문에 받는 스트레스가 겹치면 정말 두고온 '내 집'만
생각난다.
떠나봐야 내 공간의 소중함을 알듯이, 누군가 내
곁을 떠나야 비로소 그의 존재감을 확인하게 된다.
그들이 머물렀던 흔적, 머무른 공간, 그들의 말들,

어스름 무렵의 童話

조언들, 이 모든것이 뒤늦게 그리움의 파도로 우리를 덮쳐온다.

비가 오면 나는 '우울모드'에 제대로 진입한다. 몸이 찌뿌둥한 거야 그렇다 쳐도 마음까지 축 늘어져 아무 의욕도 나지 않는다. 이런 날은 종일 침대나 소파에서 뒹굴며 이런저런 상념에 빠지거나 두통을 동반하는 잠에 빠진다. 떠난 그들은 아주 가버린 걸까...

그래도 가끔은 내 안으로 한없이 침잠해 들어갈 수 있는 궂은 날이 좋다. 세상이야 어찌 되건, 그들이야 어떻게 살건 , 나만의 세계, 나만의 공상에 빠질 수 있기 때문이다. 인간은 어차피 혼자다. 그렇다면 진정 홀로되는 그 시간을 즐길 줄도 알아야 하는 것이다.

어스름 무렵의 童話

<개같은 내인생>

오래된 스웨덴 영화 <개같은 인생>을 난 여러번 돌려 보았다. 내가 선택해서가 아니라 당시 a방송국 어린이날 특집극 원작으로 담당 pd가 추천해서 보게 되었는데 조금은 난삽한 스웨덴 영화에 익숙지 않던 터라 곤혹스러워했던 기억이 난다.

내용을 요약하면 어른들에 휘둘려 원치 않는 곳으로 보내진 한 아이의 풋풋한 연애담과 성장이야기다.

그 드라마는 결국 다른 작가의 원고로 나갔지만 pd가 내게 미안했는지 <천국에서 보낸 편지>라는 나의 제목은 그대로 내보냈다.

아이의 눈에 비친 어른의 세계는 욕정과 탐욕이 가득하고 지극히 이기적인 물질 만능의 세계였다. 그런 어른들에게 아이들은 실망하고 저런 어른은 되지 않겠노라 다짐을 한다. 그러나 소년도 결국엔 첫

사랑에 빠지고 조금씩 어른들의 세계로 스며든다. 그렇게 아이는 어른의 세계를 이해하고 화해하게 된다.

그후 스웨덴 영화에 대한 신뢰 같은 게 생겨나 여러 스웨덴 영화를 본 기억이 난다.

우리들의 세계, 더 이상 아이들의 세계가 아닌 우리 어른의 세계는 얼마나 잔혹한가. 말 그대로 약육강식이 판치는 혈투의 시공간은 아닌가 싶다. 흔히들 뉴스에 나오는 잔혹범이나 패륜아를 볼 때 '짐승만도 못한'이란 표현들을 쓰지만 난 그 표현에 이의를 제기한 지 오래됐다. '짐승만큼만 하는 인간'은 그래도 낫다는 게 내 지론이다. 그보다 못한, 자기 아이를 성추행, 강간하고 ,인신매매단에 넘기는 부모들을 보면 짐승은 결코 저러지 않는다는 생각에 빠지곤 한다.

한 이불 덮고 수 십 년을 함께 산 남편(아내)를 배반하고 바람피우는 것은 그렇다 치자, 그 남편(아내)을 상간남(상간녀)과 공모해 무자비하게 토막 살인해 냉장고에 처박는 짓은 짐승에게는 하라고 해도 못할 짓이다.

선대가 남긴 유산 앞에 우애로운 형제는 없다는 게 또한 내 생각인데 지인 하나는 평생을 사업실패, 실직 등으로 가족에 폐만 잔뜩 끼친 형이 있다. 동생은 반듯한 기업에 입사해 물심양면 그 형을 도왔는데 부모가 돌아가시자, 그 형은 '장남'이라는 이유만으로 동생에겐 한 푼도 주지 않고 유산을 모조리 차지해 주식을 했다고 한다 . 지금 동생은 일련의 사정으로 개인파산, 신불자가 돼서 힘겹게 살고 있어 그래도 조금은 떼어주지 싶었는데 한 푼도 받지 못했다고 한다. 그 형이 주식에 투자한 돈은 모두 휴지 조각이 됐다는 후일담을 듣고 인과응보라는 생각을 했다.

인간이라면 치가 떨린다는 글들은 지천에 널렸으니 그만 하기로 하지만, 인간으로 태어난 게 여간 못마땅하고 부끄러운 경우가 한 두 번이 아니다.

요즘 신문에 자주 오르내리는 범죄들은 '처음엔 사기 아닌 걸로 시작했다 결국 사기로 귀결되는' 그런

류가 많은 거 같다. 흔히, 투자금의 몇 배로 갚겠다는 약속하에 돈을 가져가서는 여기저기 돌려막다 결국은 돈을 주지 않고 잠적한다든가 하는 뭐 그런 것들이 예가 될 것이다. 그런가 하면 정성을 다하고 물질적 지원까지 해준 여자를 (남자를) 저버리고 '환승'하는 일도 허다하다. 물론 감정이 하는 일이니 그건 개개인이 알아서 처리할 몫이지만 그럼 돈이라도 돌려줘야 하거늘... 그들 역시 처음엔 마음이 맞아 시작한 연애일텐데 끝은 결국 '사기 연애'가 되고만 케이스다.

그렇다면 '세상에 사기 아닌 게 없다'는 말은 어느 정도 정당성을 얻는다.

우린 과연 개보다 나은 인생을 사는가,

개들도 자기 주인은 물지 않는다는데 우린 과연 그런가,

조금은 '인간탈출'을 해야 할 시기가 아닌가 한다.. 그 인간은 내 안에도, 당신 안에도, 관계 속에도 존재하고 우릴 망가뜨리고 악의로 가득 차 어떻게든

상대를 짓밟고 은혜를 원수로 갚는 일이 다반사기 때문이다...

별도로, 영화 <개같은 인생>은 꼭 보길 권한다.뒤틀리고 모순으로 가득 찬 어른의 세계와는 대조적으로 순수한 감동을 선사하는 유리공예 장면을 비롯한 아이들의 세계와 북극 스웨덴의 여름이 꿈처럼 펼쳐진다....

영화 개같은 내인생

<내러티브가 결정한다>

　글을 쓰는 방식은 다양하고 그 목적도 저마다 다를 것이다. 난 일단 이야기가 되는가부터 보는 습관이 있다. 이른바 내가 서사 능력을 갖고 있는가를 점검해본다. 쓰려고 하는 글이 길든 짧든.
　서사가 없는 글은 단 하나도 없다는 게 내 생각인데 그것은 한 줄 시에서 장편소설에 이르기까지 동일하게 적용된다.

　언젠가 <연인>의작가 뒤라스의 평전을 읽는데 그녀의 초기작들은 완전체 작품이라기 보다는 그녀 스스로　자신의 서사 능력을 가늠하기 위해 썼다고 한다.
　내가 문예지로 소설등단을 했을때 심사평도 내 생각과 크게 다르지 않았다. '이야기'가 있다는 것이다.

혹자는 아직도 쉽게 읽히거나 이야기가 겉으로 드러나면 문학적 가치가 떨어진다고 생각한다. 특히 지식인들 중에 그런 경우가 많은 것 같다. 하지만 그들 역시 그 '경지'에 오르기까지는 가독성 높은 글들을 섭렵한 후가 아닐까 .

가끔 쓰는 책 리뷰를 봐도 난 한결같이 '가독성'을 중시하는 게 드러난다. <프라하 거리에서 울고 다니는 여자>라는 경장편 프랑스 소설 리뷰를 쓴 적이 있다. 그 책은 난해하진 않지만 읽는데 적지 않은 피곤함을 준다. 그 나름의 미학적 가치야 분명 있지만 작가가 자신의 능력을 노골적으로 과시하려 한데서 오는 내러티브의 함몰이 읽는 이를 지치게 한다.

난해하든 쉽든 글쓰기 작업을 하고 싶다면, 그걸 본업이든 부업으로 하려 한다면 우선은 내가 서사만들기 능력이 있는지부터 점검하고 노력하는 단계가 선행돼야 할 것 같다. 나도 아마추어라 갈 길이 멀지만 사실, 이야기 만들기가 그 무엇보다 어렵다면 어려운 문제다. 특히 산문, 즉 소설이 그 대표적 예가 될텐데 이야기 없이 그저 철학적 메시지, 사변적 단상들로 이루어진 책은 한마디로 싫다. 그건 독자를 외면한 작가의 오만함에서 비롯되는 건 아닐까 한다. 물론 머리에 든 게 너무 많다 보니 쉽게 정리한다는 게 자신의 문학성을 폄훼하는 일이라고 생각해서 그런 결과가 나올 수도 있지만 그렇다면 일기로나 쓰지 왜 힘들게 출간하고 반응을 살피는가.

그런 글은 그들에게나 맡기고 그들 사이에서나 읽으라고 하면 된다.

시 한 줄, 에세이 한편, 소설 한 작품, 모두 내러티브를 배태하고 있다는걸 감안한다면 서사 능력을 기르는 것은 필수조건이라 생각한다. 르 끌레지오라는 프랑스 작가가 있고 우리나라에도 독자가 꽤 많은 걸로 안다. 하지만 그의 글을 읽는 건 쉽지가 않다. 그런 작가를 지향, 즉 문학 미학에 연연한다면 그런 글에 익숙해져야겠지만 다수에게 재미를 주고 감동을 공유하고 싶다면 내러티브에 심혈을 기울여 보는건 어떨까, 하는 생각이다.

어스름 무렵의 童話

<소확행은 안분지족>

 하루키가 '소확행'이란 단어를 조어 한건 아마도 그 외에 누릴 수 있는 큰? 행복이 없어서는 아닐까, 하는 생각이 든다.

 나만 해도 소확행이 전부다. 다시 말해 선택적 행복으로서의 소확행이 아니라 이 자체가 소확행이고 이 이상은 없다는 것이다. 아침에 별일 없이 눈 뜨고 숟가락 들 힘은 남아 아침 먹고 운동하고 노트북 켜고 글 쓰고 이런 게 내 모든 소확행이며 내 행복의 전부다.

 이렇듯 소확행이 전부인 사람들이 허다하다. 일상에 큰 탈이 나지 않으면 그걸로 감사하고 만족하는.

 그런 의미에서 소확행은 주어진 현재, 주어진 나의 것에 만족하라는 어드바이스인지도 모르겠다는 생각이 든다.

 지지리도 못난 연애로 된통 당했던 지난 겨울, 어

느 친구가 말했다. 너 보면 그냥 글이나 쓰고 책보고 하는 조용한 성품인데 어쩌다...

아마도 큰 욕심내지 않고 작은 것들에 감사하고 만족하며 사는 내가 어쩌다 그런 일을 당했냐는 뜻일 게다. 내가 책으로 돈을 긁어 모으는 것도 아니고 빠듯한 수입으로 근근이 살아간다는 말을 그리 표현한 것이기도 하다. 그만큼 별다른 욕심 없이 남에게 위해를 가하지 않고 산다는 말을 에둘러 말한 건데, 그럼 딱히 그런 모진 일을 당할 이유가 없지 않느냐, 뭐 그런 얘기다.

세상은 있는 자가 없는 자를 짓밟을 때가 다반사지만 똑같이 없는 사람이 없는 사람을 해코지하는 하는 일도 다반사다. 그것은 아마도 소확행 정도로는 만족하지 못하는 탐욕의 그림자가 그 안에 자리하기 때문이라는 게 내 결론이다.

우리에게는 저마다 주어진 운명, 즉 평생의 '꼬라지'라는 게 있다고 하지 않는가. 내가 운명론자는 아니지만 어느 정도 나이 들고 나니 남은 생도 지나온

생과 별반 다를 바 없을 거라는 예감이 든다. 무에 그리 특별하고 대박 사건이 일어나랴. 늘 그래온 것처럼 작은 기쁨, 실망 , 만족 , 그런 것들로 여생도 이어지리라는걸 나는 알고 있다.

다시 말해 하루키는 선택적 행복으로서의 '소확행'을 말한 게 아니라 소시민들의 유일한 행복을 그만의 코드로 그런 식으로 언급함과 동시에 위로를 건넨 것이다.

하루키의 소확행은 단연 마라톤과 번역으로 알고 있다. 쉬고 싶을 때는 번역을 한다는 글을 읽고 역시 유전자가 다른 인간이 있구나, 하고 감탄한 적이 있다. 아무튼, 하루키의 소확행과 나의 소확행이 같아야 할 필요는 없다. 그는 번역을 하면서 나는 흘러간 팝이나 샹송을 들으면서 지친 하루를 마무리한다. 그것이면 족하고 서로의 '다름'을 비난하고 예민하게 반응할 필요가 없다.

그렇다면 대부분의 소시민들은 하루종일 행복한

셈이다. 소소한 일상 매순간이 다 소확행이므로...

어스름 무렵의 童話

<동거에 대한 나의 생각>

요즘 전 연령을 막론하고 동거 열풍 같은 게 불고 있다. 동거에 대한 나의 인식도 많은 변화를 겪었고 30년 가깝게 따로 살아온 두 사람이 서로 합을 이루는가를 미리 점검하는 게 결코 나쁘지 않다는 결론에 이르렀다.

서양은 이미 동거가 보편화 됐고 일부 선진국에선 동거 같은 사실혼 관계에서의 출산이나 자녀의 권리도 정식결혼과 같이 대우하고 보장해 주는 걸로 알고 있다. 그 점은 우리도 지향해야 할 점이라 생각한다.

물론 동거에 대한 편견 또한 만만치 않은데 특히 성性적인 부분에 대한 다양한 시각 때문이 아닌가 한다. 식욕, 수면욕 배설욕은 괜찮고 성욕은 왜 터부시 되는지 나는 이해할 수가 없다.

동거하는 이들이 결코 손만 잡고 자지는 않는다고 생각한다. 결혼으로 가는 과정의 하나로서 당연히 육체적 결합과 그 만족도는 중요하다고 본다.

그럼에도 성에 대한 이야기는 곧잘 외설로 흐르고 터부시된다. 내가 느끼는 우리 사회는 다른 부분에선 큰 진전을 보였음에도 이 부분만은 여전히 완고하다.

안할말로 동거를 거치지 않고 결혼했다 해서 그들이 서로에게 성적 첫 상대는 결코 아니리라. 물론 법이 인정하지 않는 범위 내에서 지속적 성 행위를 하게 되는 '동거'를 색안경을 끼고 보려 하는 그 심리를 모르는 건 아니다. 그러나 그것을 '더러운 것'으로까지 몰고 갈 필요는 없지 않은가.

동거가 결혼에 이르기도 하고 그렇지 못한 경우도 있다. 그게 다 삶의 다양한 그림이 아닌가. 결혼에 이르면 정당하고 합법적인 것이고 아니면 난잡한 거고...이런 식의 논리는 뭘 기준으로 하는지 모르겠다.

우린 곧잘 말한다. 여긴 서양이 아니라고..

왜 다른 물질적 ,경제적 부분은 서양을 닮아 가는 게 당연하다 여기면서 성적인 육체적인 부분은 따로 생각하는지, 그 사고의 불일치, 그 간극엔 왜 무신경한지를 모르겠다.

물론 '눈이 맞아 서로를 잘 알지도 못하는 사이에서의 동거'는 나도 그리 찬성하지 않는다. 동거든 결혼이든 일정 부분 책임이 따르는데 그런 부분이 간과된 경우 그저 육체의 유희로 끝날 수 있기 때문이다. 하지만 서로 탐색기를 거쳐 어느 정도 알고 난 다음 그래서 미래를 함께 할 수 있겠다 싶은 지점에서의 동거라는 절차는 비난할 일이 켤고 아니라고 본다.

우리도 동거와 같은 사실혼 단계에서의 출산과 자녀에 대한 권리 보장 같은 제도가 필요하다고 위에서 언급했지만 그뿐 아니라 동거하다 헤어져도 위자료, 재산 분할 같은 장치도 필요하다고 본다.

세상은 점점 가벼워지고 캐주얼해지고 있다. 그것은 많은 부분이 오픈되고 그것을 대하는 사람들의 인식이 많이 너그러워졌다는 것이다. 우리의 육체에도 이제 자유를 줄 때가 되었다. 이 말이 곧 프리섹스를 의미하진 않는다. 파트너가 있는 동안은 그 대상에만 충실할 것, 그 전제는 변하지 말아야 한다는 게 내 생각이다. 그것이 동거든 결혼이든 연애든.

어스름 무렵의 童話

<하루키와 나는 이퀄하다>

　언젠가 하루키 에세이를 읽다 보니 자기는 겁이 많아서 데드라인이 정해진 청탁은 웬만해선 안 받고 할 수 없이 받는 경우엔 미리 써두는 습관이 있다고 했다. 예로, 매주 에세이를 기고하기로 돼 있으면 최소 일주일 치를 미리 써둔다는 애기다. 그걸 보고 천하의 하루키도 마감일은 무섭구나, 하며 웃은 적이 있다.

　겁 없는 이가 있다면 그는 아마 세상에서 제일 행복한 사람일 것이다. 더군다나 나처럼 온통 유리 멘탈에 겁으로 똘똘 뭉쳐있는 인간의 시각으로는 더더욱 그렇다.

　난 호환마마, 불법 비디오보다도 무서운 게 바로 뺑튀기다. 어릴 적 그것 때문에 놀림도 많이 당하고 손가락질도 당했다.
　내가 살던 곳엔 조막만한 집들이 다닥다닥 붙어있

었고 그 골목 입구에 오래된 은행나무 한그루가 있어 가끔은 거기서 무녀가 굿을 하기도 했다. 그 정도야 구경거리도 되고 좋았는데 어느 날, 그 앞에 덩치 큰 대포 같은 기계 하나가 떡하니 와 있는게 아닌가.

물론 어린 난 그게 뭔지 몰랐고 다행히 며칠은 별 탈 없이 그 앞을 통과했다. 그러다 보니 슬슬 호기심이 발동해 어느 날은 아예 작정을 하고 뻥튀기 장수를 기다렸고 드디어 그가 리어카에 그 '대포'를 싣고 오는 게 보였다. 내 오늘은 기필코 저놈의 정체를 밝혀내리라, 마음먹고 친구들을 불러내 그 앞에 나란히 쪼그리고 앉았다. 드디어 기계가 돌아가기 시작하고 얼마 있다 그 아저씨가 뭐라고 소리치는 게 들리자 친구들은 저마다 두 손으로 귀를 틀어막았다. 그 이유를 알 수 없던 나의 그 다음은 상상에 맡긴다.

난 경천동지라는 게 이럴때 쓰이는 말이라는 걸 뒤늦게 알았고 그 다음부터 뻥튀기만 보면 동네를 빙둘러 가곤 했다. 어쩌다 집 가까이 오기라도 하는 날은 내 제삿날이었다. 이불을 뒤집어쓰고 바들바들 떨면서 밖에 나갈 엄두를 내지 못했고 처음엔 나의 그런 기이한 행동의 원인을 모르던 친구들도 하나 둘 눈치채기 시작했고 급기야 동네방네 소문이 나고 말았다. 그 당시엔 그야말로 누구네 숟가락 젓가락이 몇 갠지도 다 알던 시절이라 더더욱 그랬다.

그런데 지금도 야속한 것은 녀석의 어마무시한 그 괴음보다 같이 있던 친구들이다. 왜 그들은 내게 알려주지 않았는가 귀를 막아야 한다고. 비겁하지 않은가. 완전 무방비상태로 당한 내가 황망해 하고 겁을 먹자 그들은 내게 손가락질하고 겁보라고 놀려대고 소문을 냈다. 나의 약점이라면 약점일 수 있는 부분을 사정없이 찔러대고 까발리고 그랬다 그들은.
이후로, 난 가까운 사람을 믿지 않는 버릇이 생겼다. 가까울수록 배반한다는.

이름은 생각나지 않지만 어느 유명 감독이 한 말이 떠오른다. '내가 흥미를 느끼는 것은 개개인이 저마다의 약점을 드러내는 방식에 있다'고 한 그 말

40
어스름 무렵의 童話

이..

　남의 약한 부분은 이해하려 하고 보완해줘야 하는 게 아닌가?.그럼에도 우린 그걸 빌미로 조롱하고 협박하고 장난치고 때로는 그런 심리, 행위를 그럴싸한 말들로 포장한다. 관심, 우정, 사랑....

　.최소한의 휴머니즘이 필요하지 않은가.

　다시 하루키 이야기로 돌아가서, 하루키는 대인관계도 소심한 편이고 낯을 많이 가리고 숫기도 없고 게다가 데드라인 공포증까지 있어 이런 자기를 숙지하고 있는 소수의 사람, 해당 출판사 하고만 작업을 한다고 한다. 즉 자신의 약점을 캐릭터로 존중해주는 그런 파트너하고만 일을 한다는 얘기다.

　이 부분, 1년에 최소 장편 두권쯤은 거뜬히 출간하는 히가시노 게이고와 비교되는 지점인데, 누가 옳고 그름의 문제가 아니고 그들 개개인의 작업방식이고 취향이라 보는 게 맞을 것이다.

　왜 우린 모두 똑같아야 하는가. 왜 나의 약점을

꽁꽁 숨기고 아닌 척 해야 하는가, 라는 질문은 꽤 심각한 사유를 요하는 부분인 것 같다.

난 하루키가 아니어서 그닥 데드라인을 무서워 하진 않는다. 오히려 마감시간보다 일찍 송고를 하는 경향이 있고 그것이 곧 글의 퀄리티와 연결되는 건 아니지만, 아무튼 빠르게 쓰는 재능? 정도는 있는듯 하다. 그렇다고 해서 내가 마감 시간에 민감한 하루키를 바보라 놀려대지 않는다. 마찬가지로 하루키도 내가 뺑튀기를 무서워한다고 비웃지는 않으리라. 우리 둘 사이엔 그런 믿음 같은 게 암묵적으로 존재한다.

무라카미 하루키

<지연된 애도>

책을 하도 마구잡이식으로 읽다 보니 '지연된 애도'라는 단어를 정신분석인지 심리학에선지 아님 엉뚱한 어디서 읽었는지 기억이 안 난다. 그러나 요즘 계속 내 머릿속을 맴도는 단어다.

이 말은, 말 그대로, 사건이나 사고가 터졌을 당시엔 무감하게 반응하다 뒤늦게 나타나는 이상증세, 고통, 애도의 심리를 뜻한다.

어쩐지 무탈하게 잘 지나간다, 잘 극복해냈다, 하는 일도 뒤탈이 나기 마련인데 친족의 죽음, 실연, 금 간 우정, 사기, 등등이 그에 속할 것이다. 분명 통탄하고 곡을 하고 가슴을 치며 아파하고 뒹굴어야 하는 그 시점엔 무감각하고 냉담하게 지나가다 몇 개월 후 길게는 수년 후 그 감정이 되 살아나 뒤늦게 고통받는 일이 다반사다.

왜 그 당시에 적당한 리액션을 취하지 않았을까, 혹은 못 했을까, 하다 보면 답이 나오는데 그것은 자존감, 자기 방어, 혹은 그보다 우선하고 절박한 그 무엇이 있었기 때문일 수 있다. 그런데 우린 '일정 텀'이 지난 다음엔 꼭 그때를 복기하게 된다. 왜 그 랬을까, 왜 그렇게 당하고 아무 말도 못했을까...등 등...

영어로 하면 회한 비슷한 것이 될 것이다. 'should have pp. could have pp / shouldn' t have pp'

온통 네거티브한 세상에서 우린 우리의 감정조차 제대로 추스리지 못하고 꽁꽁 싸매고 사는 건 아닐 까. 제때 배설 되지 못한 감정은 우리의 내면을 잠 식한다.

요즘 와서, 몇 달 전 일이 계속 머리를 맴돌아 두통이며 그 밖의 신체적 통증에 시달리고 있다. 운 동이라고는 하루 30,40분 걷기가 다인데도 그걸 제 대로 못 하고 있으니 큰일이다. 하루종일 누워있거 나 힘없이 늘어져 있다.

이 일을 터뜨리면 내가 죽을지도 모른다고 생각했지만 해야 했고 그래서 했고 결과는 예상한 대로였다. 그런데 지난 겨울 그 시점엔 난 이상하다 싶을 정도로 정상적으로 지냈다. 견뎌냈다는 표현이 더 적당하리라... 고통을 거의 느끼지 않았다. 상대방의 실책에 기인한 결과였기에 자책할 필요도 없었다. 스스로도 놀랄 만큼 냉정하고 냉담하고 무감하게 몇 달을 보냈다. 그런 내가 대견했고 성숙했다는 생각도 했다.

그런데 겨울 가고 봄 오고 그러면서 나의 내면도 조금씩 허물어지는 걸 느낀다. 되돌릴 수 없는 그 일을 왜 난 해야한다고 생각했고 해버린 걸까, 하는 후회가 밀려왔다. 지금도, 그럴 수밖에 없었다고 생각하지만, 다른 방법, 조금은 유한 방법도 있었을 텐데, 일말의 가능성은 열어놓는 건데, 하는 그런 미련 같은게 남았다... 그러면서 나는 뒤늦은 회한, 지연된 애도에 휘말려 조금씩 말라 죽어가는 느낌이다...일상은 황폐하고 생존은 버겁고 낯설다.

물론 이 시간도 지나간다는 걸 나는 잘 안다, 이 시간을 벗어나 자유롭고 건강해지는 그런 시기가 올 것임을 안다. 하지만 늘 어려운 건 현재고 지금이고 당장 이순간이 아닌가...

조금은 얄밉고 원망스러운 부분도 없지 않아 있다. 지난겨울, 모진 바람 부는 거리에서조차 당당하던 내가 꽃이 피려하니, 언 땅이 녹으려하니 스러지고 있으니 말이다.

이렇게 영원의 길을 갈 수도 있다는 생각, 그러면서도 이 시간은 지나가리라는 두 가지 생각 사이에서 힘들게 균형을 유지하고 있는 어릿광대가 된 기분이다.

<즐거운 이별>

헤르만 헷세의 시 <단계>로 기억된다 "마음이여 이별하고 건강하여라..."

이별은 가슴 아픈 일이다. 그 누가 시간과 공을 들인 친숙한 대상과 헤어져 남은 생을 헛헛하게 살기를 원하겠는가. 그러나 우리의 삶이 숱한 만남의 연속이라면 그만큼 이별의 연속이기도 하다.

오랜 친구 하나가 있었다. 이별했으니 과거시제라 적절하리라...

단발머리 여고생 시절 만났으니 수십 년 된 관계다. 또래에 비해 일찍 결혼, 일찍 돌싱이 된 나는 아이도 없이 살아왔다.

그런 나에 비해 친구들은 거의가 (모두는 아니다) 안정된 생활을 꾸리고 자식을 두엇씩 두고 살아왔다. 그러면서 어느 때부턴가 나라는 존재는 친구들의 배려와 관심이 필요한 존재가 돼 버린거 같다.

내가 원한 건 아니지만.

그 친구와도 그리 순탄한 여정만은 아니었다. 내
가 결혼 2년 만에 돌싱이 되자, 지극히 평범한? 가
치관의 소유자였던 친구들은 조금은 색안경을 끼고
나를 바라봤다. 그때만 해도 이혼은 연예인이나 하
는 리버럴 액션, 그 정도로 여겨질 때기도 했고.

그 친구 역시 아이를 낳고 시댁과의 이런저런 마
찰로 어려워하던 결혼 초라 서로 자주 볼 수도 없었
고 내가 방송일을 시작할 즈음엔 더더욱 멀어졌다.

그런데 나이 들고 아이들과 남편에 더 이상 잔손
이 가지 않게 되자 그 친구는 다시 나에게로 시선을
돌린 듯했다. 그래서 명절이며 생일이면 ,피붙이도
챙겨 주지 않는 내게 음식을 해오고 함께 등산을 하
고 집 앞 개천을 걷고싶어 했다. 고마워해야 하는거,
라고 생각했다.

그러나 어느 시점부턴가, 내가 그 친구로부터 '관
리'당하고 있다는 생각이 들었다. 남녀 사이에만 '어

장관리'가 있는 게 아니라는 사실을 하게 되었다.

모든 약속과 만남은 그 친구가 원하는 시간과 장소에서 이루어져야 했다. 그러다보니 난 그 관계가 피곤해졌다.

그러다 계절도 바뀌고 밖에서 한번 보고 싶어 문자를 보냈더니 "좋은날 오면 봐"라는 애매한 답이 돌아왔다. 뭐지? 하는 생각이 들었다. .그러고 있는데 모월모시가 되자, 대뜸 어디서 몇시에 보자,라는 문자가 왔다. 아, 애는 자기 스케줄에 의해서만 움직이는구나. 자기 계획에 없는 만남은, '좋은날 오면'으로 거절하는 타입이구나, 했다.

그리고는 그 좋은 날이 다가올 즈음, 나는 그 친구의 제안을 거절했다. 그리고, 그 친구의 문자를 차단했다. 모든 걸 자기식으로, 자기 편할 때만 하려하고 그럼으로서 상대를 자기 밑에 두고 통제하고 관리하려는 그 친구의 방식에 난 동의할 수 없었고 그럴 필요도 없었다. 즉, '이별하고 건강해지는 방법'을 선택한 것이다.

이후로 그 친구와는 아무 교류가 없다.

내가 그닥 잘한 것도 아니지만, 수십 년 우정을 그렇게 '관리 차원'으로 몰아간 상대에게도 일말의 책임은 있다고 본다.

우리가 사랑이라, 우정이라, 선의라 부르는 것들이 진정 그 속에 '선의'만을 담고 있는가 하는 생각을 자주 해보게 된다. 혹시 그들이 날 자기들의 방식으로 양육하고 가스라이팅 하려는 건 아닐까···

'

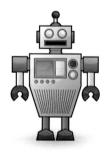

어스름 무렵의 童話

<마이 스윗하트>

혼자 살아도 침대만은 큰 걸 쓰는 경우가 많은데 나는 싱글보다 아랫 단계인 쁘띠 사이즈라는 걸 쓴다. 그리고 나무가시에 민감해서 철제를 선호해 몇 년째 철제 침대를 사용 중이다

구입처는 단골 브랜드였고 서울인데도 1주일을 꽉 채워 와서 한 시간 넘게 조립을 하는 기사에게 나는 적잖이 짜증을 낸 것 같다. 그래도 기사는 곧 끝납니다,라며 불평 한마디 안 했다. 삼복더위, 에어컨이 없는 침실은 그야말로 찜통이었고 난 에어컨이 있는 거실과 침실을 들락날락하며 무언의 시위를 했다.

그렇게 한참 만에 조립이 끝난 기사는 보란 듯이 ,됐습니다, 하고는 그제야 이마의 땀을 닦아냈다. 그리고는 마지막 순서인 매트리스를 얹는 순간 맞지가 않았다. 쁘띠 매트리스가 아닌 일반 싱글 매트리스를 갖고 온 것이다. 속된 말로 나는 뚜껑이 열리고 말았다. 잘 보고 갖구 오셨어야죠, 했더니 이 침대는 처음이어서,라는 답이 돌아왔다.

미숙련자를 기사로 보낸 업체의 잘못도 있지만 모든 게 다 내 운이려니 하고 나는 , 그럼 어떡해요 기존 매트리스는 버렸는데, 하자, 기사는 맞지도 않는 매트리스를 억지로 구겨 넣으며 일단 여기서 주무세요, 라고 하였다. 일주일을 기다린 침대가 그 꼴이다 보니 여간 화가 치미는 게 아니었다. 문제는 그다음에 이어진 말인데 '근데 이 사이즈 매트가 없을 수 있어요'라는 것이었다. 어쩌란 말인가. 기가 막혀 하는 나를 보고 기사는 '그럴 경우엔 입고 때까지 기다려야 해요. 한 달이든 두 달이든'. 그제야 나는 기사도 어지간히 짜증이 나 있다는걸 알 수 있었다.다만 참고 있었을 뿐.

그리고는 일주일 후에 다시 매트리스 갖고 온다는 전화를 받고 그날은 정확히 왔다. 그로부터 3년째 나는 그 사연 많은 작은 침대를 무탈하게 잘 쓰고 있다. 프레임은 철젠데 네 귀퉁이는 목재로 엔틱하게 마무리 돼 쎄미엔틱 맛도 나고 괜찮은 침대라고 생각한다.

이후 그 기사는 식탁을 배송 온 일이 있고 전과 달라진 게 있다면 머리 퍼머를 했다는 것이다. 여기 기억 안나세요? 글쎄요, 그가 대답했다. 해서, 매트리스 안 맞아서,라고 했더니 그제야 기억이 나는지, 아...하는 것이다. 그래서 난 뒤늦은 감사의 말을 전하며 유산균을 건넸다. 여태 잘 쓰고 있습니다. 매트도 쉽게 꺼지지 않고, 하자, 저쪽은 말없이 씩 웃었다. 그리고는 이거 잘 먹을게요, 하고는 유산균을 살짝 흔들어 보이곤 현관을 나갔다.

이번 이사 갈때 좁혀 갈거 같아 난 지금 갖고 있는 가구의 절반은 버리고 가야 한다. 특히 책을 반 이상 버려야 한다.

하지만 다 버린다 해도 이 침대만은 가지고 갈 것이다. 저런 기억이 담겨있는 알뜰한 나만의 소품이어서다. 여름날 ,선풍기 한대에 의지해 한 시간을 고생했던 그에 대한 미안함도 배어있고 마실 물 한 잔 안주고 짜증만 퍼부었던 나에 대한 속죄의 의미이기도 하다.

어스름 무렵의 童話

<기억이라는 만성질환>

난 걷기 운동이 필수인 인간이다. 마구잡이식 섭
식을 하고 종일 안좋은 자세로 책을 보거나 글을 쓰
거나 공상에 잠기거나 하다 보니 하루 한 시간 정도
의 바깥 운동은 필수인데, 이젠 그것마저 줄이든가
방법을 바꿔야 할 때가 온 거 같다.

근래 와서 걷고 나면 오른쪽 발바닥 윗부분, 그러
니까 엄지발가락 뒷부분이 뻐근하고 아프다. 가만
생각해보면 꽤 오래된 증상인데 딱히 발을 쓸 수 없
을 정도는 아니어서 그냥저냥 지내온 거 같다. 그러
다 어느 날은 새벽에 찌릿하고 욱신거리는 심한 통
증에 놀라 잠이 깼고 더 이상 방치할 수 없어 날이
밝자마자 정형외과를 찾았다. 엑스레이 결과 그 부
위 염증이 심하다고 나왔고 의사 말로는 근래 생긴
염증이 아니라 좀 된 거라고 했다.

아무튼 그래서 나는 한동안 잘 걷지도 못하는 채

로 비싼 치료비를 내면서 약과 물리치료를 병행했고 조금 완화돼서 병원을 끊었다. 의사는 뇌노복이면 오래 걷기는 하지 말라는데 내 처지에 가당치도 않거니와 치료비도 어느 정도 부담이 가기도 했고 한 번 치료한 부위는 당분간은 크게 도지지 않는다는 경험에 비추어 치료를 중단한 것이다.

그리고는 다시 걷기를 시작한 지 한 보름, 지금 다시 그 부위에 예의 통증의 전조가 느껴진다. 그렇다고 운동을 안 할수도 없고 해서 이젠 하루 걸러 그리고 시간을 반으로 줄여볼까 한다. 그래서 어제 쉬고 오늘도 반만 걸었는데도 뻐근하고 만지면 통증이 느껴지고 솔직히 불안감이 밀려온다.

나이 들수록 걷기 같은 유산소, 가벼운 운동은 필순데 난 왜 하필 이 지점에서 운동을 멈추든가 줄여야 하는가, 하는 답답한 심정이지만 그렇다고 죽을 병이 아니라고 완전히 무시할 수도 없는 처지여서 운동을 하면서도 통증을 최소화 할 수 있는 방법,

그 지점을 모색하기로 한다.

고통스런 기억은 자그만 빌미나 단서에도 곧잘 반추되고 우리를 지배해 낙담과 무기력에 빠지게 한다. 기억을 물리치료할 수 있는 방법은 없는가...이 기억의 문제는 최근 인문학 분야에서 새롭게 떠오르고 있는 화두이기도 하다.

통증이 있다 해서 운동을 멈출 수 없는 바에는 통증의 최소화와 운동의 지속이 가능한 접점을 찾는 수밖에 없으리라. 해서 당분간은 걷고 와서 핫팩을 할 생각이다. 일단 그렇게 가보는 것이다. 당장 효과를 보지 못한다 해서 이내 포기하지 않고 꾸준히 하다보면 출구가 보일 것이다. 그래도 안 되고 통증이 심해지면야 다시 병원을 찾겠지만 내 선에서 할 수 있는 한은 다 해본 다음이 될 것이다.

고통없는 삶이 없다면 그것을 피하려 하지 말고 함께 가는 지혜가 필요하다. 다독이며 같이 가기, 공존의 삶.

어스름 무렵의 童話

<나의 레트로한 일상>

 좀 나이가 있는 세대라면 LP판을 다들 알 것이다. 바늘이 내던 마찰음, 그 지지직거림에 대한 향수. 내가 대학 때 했던 건 연애와 LP 모으기였던 거 같다. 연애라고 해봐야 죄다 시시한 기억들이어서 그닥 논할 바가 아니지만 락rock을 비롯한 올드팝에 대한 내 열정만은 지극했다. 가사 내용도 모르면서 따라 부르고 흥얼거리던 그 노래들을 지금도 간간이 드라마나 영화 OST로 들을 때면 당연 감회가 새롭다.

 LP 판을 녹음한 카세트 테이프를 애인이나 절친에게 주는 일은 그 당시엔 흔했다. 나 역시 수많은 테이프를 주었고 간간이 받기도 하였다. 그때 내 감수성이 최고점을 찍었는지 지금 들어도 전혀 시대에 뒤지지 않는 명곡들이 많았던 거 같다. 영국 락 그룹 the baybs의 <everytime i think of you>를 비롯해 아마 수백, 수천 곡을 들었고 녹음했던 거 같다.

이제 LP를 들으려면 따로 LP 플레이어를 사야 할 만큼 시대는 빠르게 디지털화 되었지만 많은 이가 나처럼 이젠 듣지도 않으면서 버리지도 못하는 LP를 갖고 있으리라 생각한다. 내 아파트 발코니 한 귀퉁이는 LP판으로 가득 차 있다. 그리고 몇 년 전 제법 거금을 주고 레트로 풍의 오디오를 하나 샀다. CD, 카세트 테이프, 그리고 LP와 라디오가 모두 되는. 잔뜩 기대를 갖고 LP 위에 바늘을 얹던 순간의 감흥은 아직도 생생하다. 그렇게 한동안 줄창 LP를 듣다가 언제부턴가 일에 치이고 디지털에 치이고 하면서 나의 아날로그 시대는 막을 내렸다.

지난해 언젠가 지인이 와서 저 레트로 오디오를 탐내길래 한번 작동을 해 본 적이 있는데 CD와 라디오만 간신히 나올 뿐 정작 중요한 LP 부분은 고장이 나 있었다. '뭐야 고쳐 써야지'하면서 그는 타박을 했고 고로 가져가지 않았다.

내가 음악을 좋아하게 된 데에는 어릴 적부터 있던 '전축' 덕이 아니었나 싶다. 부모님이 딱히 음악 매니아가 아니었음에도 집안 여기저기 LP들이 굴러다녔고 그중엔 올드팝이 상당수 있었다. 그렇게 난 어릴 때부터 전축이니 LP니 하는 것들과 친숙하게 자라났고 그래서 라디오 음악프로그램 글을 쓸 기회가 주어졌을 때는 거의 운명처럼 여겨졌다. 원고가 밀릴세라, 하루키처럼 1,2 주일 치를 먼저 써두고 그렇게 PD에게 내밀면 PD는 빨리 쓴다고 탄성을 질렀다.

그러면서 한 두 곡은 직접 선곡해보겠냐고 해서 난 흥분돼서 방송국 자료실을 들락거리면서 음악을 선곡하기도 했다. 하지만 그 곡들은 거의 방송을 타지 못했다. 라이트 팝이나 가벼운 가요 위주로 나가는 포맷인데 난 핑크 플로이드, 레드 재플린 따위를 가져 갔으니...

이사를 여러 번 다니면서도 난 단 한장의 LP도 버린 적이 없다.

대학 4학년 무렵, 이른바 싸게 살 수 있는 '빽판'을 산다고 청계천 일대를 뒤지고 다닌 적이 있다. 수업이 끝나면 친구와 그곳으로 직행하는 일이 다반사였고 그러다 보니 단골도 생기고, 빠듯한 돈으로 한 두 장 사고 나면 세상을 다 가진 듯 기뻤다.

그러다 어느 날, 나 혼자 갔다가 길을 잃은 적이 있다. 눈 감고도 가는 길을 그 날은 왜 헷갈렸는지는 몰라도 아무튼 낯선 길에 들어섰고 이상한 불빛들이 골목을 메우기 시작했고 유리문들이 다닥다닥 붙어 있었다.

내 또래, 내지는 좀 더 나이든 여자들이 하나 둘, 집 밖에 의자를 내놓으며 나오기 시작했다. 그리고 그들 주위를 험상궂은 남자들이 맴돌았다.

그제야 나는 알게 됐다. 내가 들어선 곳이 말로만 듣던 '홍등가'였음을. 난 이러다 뭔 일이라도 당할까 싶어 걸음을 빨리했지만 그럴수록 길은 점점 더 미로가 돼버리고 난 더 헤어 나올 수가 없었다. 그러는데 그중 한 여성이 나가는 길을 가르쳐 줘 난 간신히 그 골목을 나올 수 있었다.

지금 그들은 살아있을까, 그렇다면 여태 그 일을 하며 살까, 가끔 생각에 빠질 때가 있다. 어리숙한 여대생 하나쯤 험하게 다룰 수도 있었을텐데 그들은 암묵적으로 나를 보호해주고 그냥 패스시켜 준 것이다. 지금 생각해도 여간 고마운 게 아니다...

지금도 그래서 LP들을 보면 간간이 그 검붉은 불빛의 골목이 떠오른다.

LP를 녹음한 테잎을 수줍게 내밀던 그 시절의 나는 모르긴 해도 사랑을 믿었으리라. 사랑은 학대하고 배반한다는 것은 뒤늦게나 깨우친 일이다.

그렇게 내 테이프를 받은 그들과는 모두 헤어지고 정리했고 정리당했지만 내가 준 테이프들이 어디선가 툭 튀어나올 수도 있다는 생각, 마치 프루스트가 마들렌 과자에 영감을 받아 <잃어버린 시간을 찾아서>를 써나간 것처럼 그런 기적은 언제든 일어날 수 있다는 생각을 한다.

홍등가에서 헤매는 나에게 '저쪽으로'라고 출구를

알려 준 그분께 진정 감사드린다.

<시간은 치유하지 못한다>

흔히들 말한다. 모든 건 시간이 해결한다고. 그 어떤 모진 고통과 상처를 받아도 시간이 흐르면 다 아물고 없어진다고. 하지만 과연 그런가. 그건 어쩌면 육신의 상처에만 해당하는지도 모른다. 칼에 베인 손가락 상처야 연고 바르고 밴드 붙이고 소염제 먹고 하면 어느 순간 딱지가 앉고 얼마 후엔 저절로 떨어진다. 그럼 언제 그랬냐는 듯이 그 부위에 새 살이 올라오고 감쪽같이 상처의 흔적은 사라진다.

하지만 마음이 받은, 정신이 감내해야 했던 상처며 고통 역시 시간이 해결해줄까? 난 이 물음에 회의적이다. 시간이 흐른다고 그(그녀)에게서 들은 모진 말과 거친 행동들이 잊혀지지는 않는다. 그(그녀)가 한 기만과 배반의 행위는 시간이 흘러도 시퍼렇게 살아 내 심신을 갉아먹고 잠식한다.

그러니 애당초 상처받지 않는 게 가장 현명하리
라...

혹자는 그런다. 시간은 모든 걸 치유하지 못해도
그 강도는 줄여준다고.

그 말이 다 틀린 건 아니지만, 특정 기억은, 그것
이 너무나 혹독하고 잔인해 아무리 오랜 시간이 지
나도 그 통증이 줄거나 감소되지 않는다.

삶이 그렇듯 '관계' 역시 상처를 기반으로 성립한
다. 우리가 관계를 시작함으로서 상처의 give and
take는 시작된다고 할 수 있다. 평생 내 짝인줄 알
았던 그(그녀)가 어느 날 홀연히 돌아서며 '니가 지
긋지긋했어'라고 하질 않나, '너는 내 타입이 아냐.
노력했지만 안됐어'라면서 등을 돌리는 일이 얼마나
많은가.

그렇다면 우린 왜 유아독존 혼자 존재하지 못하는
가? 외로움 때문인가? 무엇 때문에 우린 타인을 필
요로 하고 그들의 존재를 나와 연계시키려 하는가.

내 경우에는 타인으로부터 받은 상처나 기만의 기억이 호의와 선의보다 더 많았던 거 같다. 그래서 지금 겨우 손가락으로 셀 수 있을 정도의 이름들만 내 주소록에 남아있는지도 모른다.

상처를 주려고 한 말이 아닌데...라는 말을 자주들 한다. 그건 내 의도가 아니었어,라고도 한다. 하지만 우린 늘 상처받고 또 그에 대비해 살아야 한다. 그러기 위해서는 강철 멘탈이 될 수밖에 없는데 그게 어디 쉬운가. 그렇게 '당하고 나면' 다시 확인한다 '타인은 지옥'임을.

이러면서도 우린 메시지를 보내고 sns를 하고 메일을 하고 또 전화를 한다. 상대가 딱히 반기지 않는데도 자신의 이야기를 줄창 해대는가 하면 상대가 피곤해 하는데도 계속 상대의 안부를 캐묻고 내 신세 한탄을 해댄다. 그러다 결국은 손절당하는 일까지 생긴다. 왜 이런 어리석은 짓을 계속 하는 걸까? 그건 아마도 인간 역시 사회적 동물이기 때문이리라. 관계 속에 있을 때 비로소 보호받고 평온한 느낌을 받고 소속감이 주는 일체감에 연연하기에.

그렇다면 혼자 있으면 상처받을 일이 없는가, 그렇지 않다는 게 내 결론인데 그것은 우리는 사유하고 기억하고 반추하는 능력과 습관이 있기 때문이다. 한번 받은 상처와 고통의 흔적은 아주 오랜 기간 현재 진행형으로 나를 괴롭히고 그(그녀)를 떠올려 원망하게 만든다. 이렇듯 시간이 흐르면 다소 둔감해져도 결코 완전히 사라지지 않는 게 상처라는 것이다.

<단 하나의 부재>

오늘은 하루 종일 등려군의 노래 <월량대표아적
심>을 흥얼거렸다. 중국어를 전혀 모르니 그저 유
투브 화면 하단의 번역을 본 게 다지만 가사도 소박
하고 선율은 지극히 동양적인 게 그래서 더더욱 자
극적인 것 같다.

이 노래를 본조비 버전으로 듣는 건 또다른 즐거
움이었다. 서양인의 귀에 지극히 동양적 선율의 이
노래가 어떻게 들렸을까,내 나름으로 이리저리 상상
해 보았다 .

그러다 친구가 지나는 길이라며 들르겠다고 해서
그와 함께 등려군 이야기를 하였다. 그 사람, 암살당
했지 아마? 하며 친구는 그 당시를 떠올리는 얼굴이
되었다. 어? 죽었어? 했더니, 응. 일찍 죽었지. 윗선
에 찍혀서 죽었을 거야 아마. 반정부시위도 하고
뭐...

난 생전 처음 듣는 이야기였다...충격이 좀 가라앉자 난 본조비 버전을 들려주었다. 이런 게 있었어? 하면서도 친구는 제법 그럴싸하게 가사를 따라불렀다.

등려군이 그렇게 갔구나, 하고는 친구가 간 뒤 포털에서 등려군을 검색해 봤다. 태국에서 휴가를 보내다 지병인 천식 발작을 일으켜 죽었고 그 당시 동거하던 프랑스 남자가 마지막을 지켰다고 써있었다. 정치적 죽음이라더니? 하고는 검색을 더 하자 어느 블로그엔가 등려군의 죽음을 둘러싼 이런 저런 의혹이 있다는 글이 쓰여있었다.

천식이 지병이었다면 언제라도 발작을 일으킬 수 있으니 그에 대비한 의약품을 챙겨갔을 것일텐데..라는 생각에 이르자 나 역시 그 죽음이 석연치 않았다. 아무튼 등려군은 42세라는 젊은 나이에 세상을 등졌다... 꿈결같은 노래 <월량대표아적심>을 남기고.

이런 연유로 시간이 흐른 지금까지 저 곡은 중화권의 대표적 사랑 노래 love song으로 각광받는 걸지도 모른다. 노래의 주인은 의혹 속에 갔기에 더더욱...

친구가 간 뒤 나는 청소기를 돌리고 샤워를 하고 소파에 편하게 누웠다. <월량대표아적심>을 연속 재생하며 틀어놓고...

그러다 보니 '그'가 없다는 생각이 문득 나를 덮쳐왔다. 언제까지나 내 곁에 있어 줄 거 같던 그가 그리웠다. 그의 부재로, 그 단 하나의 부재로, 오늘 하루는 미완으로 남았다. 사랑의 부재만큼 피곤한 것도 없다.

<사랑의 낙서>

삶의 무게가 필요이상으로 느껴질때는 대학시절
내가 학교 도서관에 재미로 해 댄 낙서들이 떠오른
다. 그냥 시간 때우기 식, 내지는 심심할 때 해대곤
하던 그 낙서들. 내 첫사랑이었던 역삼각형 얼굴의
안경 낀 k대 생을 자주 그린 것 같다. 혼자 두면 외
로울 거 같아 그 옆에 청순한 여대생도 함께 그리곤
했다.

지금이야 그런 내 흔적들이 남아있지 않겠지만 이
후 굴곡 많은 내 삶의 파도가 치기 전 그래도 평온
했던 한때로 기억된다. 철없던 20대를 지나 일하면
서 사회를 배우던 30대, 뒤늦게 대학원을 들어갔던
40대 뭐 이런 식의 생의 파도.

어느 날인가 도서관 책상에 그 짓을 또 하고 있
는데 어디선가 싸한 느낌이 전해졌다. 고개를 들어
보니 저 먼발치에서 어느 남학생이 험상궂게 나를

쏘아보고 있는 게 아닌가. 드디어 걸렸구나, 하는 마음에 황망히 나는 그 방을 나와 다른 방으로 자리를 옮겼다. 그랬으면 그만 해야 하는 걸 또 그 짓을 하였다. 그때 아마도 내가 편집증을 앓던 시기가 아니었나 싶다.

아파트 생활을 오래 하다 보니 낙서를 볼 일도 별로 없는 것같다. 그래도 가끔 담벼락 낙서를 보면 콘크리트 위 한송이 꽃을 본 듯 반갑다. 특히 이제 막 글을 깨우친 꼬마들의 낙서는 귀엽기 이를데 없다. 시간이 흐른 뒤 저들은 이 순간을 어떻게 돌아 볼까, 궁금해진다.

내가 학교도서관에 사인펜으로 조악하게 그려댄 '그와 그녀들'은 그래서 이후 만났을까, 어긋났을까? 피로감이 열정을 앞서고 셈법이 관계의 서열을 매기는 시간이 오면 어린 날 서툴게 적어나간 그 사랑의 낙서들이 이별처럼 날 아프게한다.

비오는 밤, 어느 으슥한 골목의 점멸하는 가로등 불빛만큼이나 바스러지기 쉬운 내 젊은 날의

흔적이 그 낙서들에 묻어있다. 해후와 영이별의
교차로에서 가슴 조이며 서러워 하던 우리 아팠던
젊은 날을.

<언어가 열어주는 세상>

내 어릴적 꿈은 골방에 틀어박혀 글 쓰는 작가였고 조금 커서는 외국어를 잘해 해외를 내 집처럼 드나드는 것이었다. 해서, 대학을 지원할 때도 두 군데를 했는데 하나는 영어, 하나는 문창과였다. 그때는 이런 동시 지원이 가능할 때였고 나는 결국 외국어를 선택하였다.

이점, 지금 생각해보면 아버지의 피나 영향을 받은 것 같다. 아버지야말로 영어에 능통해서 통역장교, 학교 선생까지 했고 이런 외국어 취향은 조카들에게까지 이어져 그중 한 녀석은 아예 해외살이까지 하고 있으니 유전자의 힘은 무섭다는 걸 새삼 느낀다.

나 역시 학교를 졸업하고 영어번역과 초등학교에서 기초 회화를 꽤 오래 강의하다가 거주지를 옮기면서 그만두었다. 지금은 딱히 외국어로 돈을 벌고 있거나 하진 않지만 외국어를 손에서 놓은 적은 없다.

난 서구살이를 해보고 싶고 그중 파리와 뉴욕, 그리고 2중 언어권인 퀘벡에서 꼭 한번 살아보고 싶다. 아예 영구체류를 할 수도 있다. 그렇게 외국어와 문학을 접목한 문학 에이전트나 문학 기획 정도가 내게 어울리는 일 같다는 생각을 자주 하고 써주는 데가 없으면 1인 기획이라도 하든가...

난 현실이 갑갑하고 우울해지면 하던 일을 멈추고 영어나 불어책을 본다. 예전에 친구와 남미여행을 계획하면서 잠시 들여다본 스페인어도 가끔 본다. 이 세 언어 중 으뜸은 역시 영어라고 생각한다. 모든 언어는 평등함에도 이리 표현하는 건 영어의 심플함에 기인한다. 영어가 문법이나 단어, 문장에서 지금처럼 심플해지기까지는 숱한 시행착오와 세계 각지에서 현지화돼 왔기 때문일 것이다. 안할말로 '마구 구르다 보니' 다져지고 세련돼지고 심플해졌다는 게 내 생각이고 내 학위 논문 역시 이런 점을 부각시켰다.

한때 중국이 급부상하면서 세계어가 영어에서 중국어로 넘어갈 거라는 애기까지 나왔지만 나는 그점에서 네거티브했다. 중국어를 전혀 배우지 않았으니 성급한 판단은 유보한다 해도 그렇게 말하기, 쓰기 ,배우기 난해해서야 어떻게 세계어가 될 것인가, 라는 게 내 생각이다. 이점 중국어 전문가분들의 넓은 양해를 구한다.

영어의 심플함을 미덕으로 여기듯이 나 또한 그렇게 심플하게 살고 싶고 그러고자 노력한다. 약속을 했으면 지키려 하고 아니라고 생각되면 아니라고 한다. 책임질 관계는 책임지려 하고 상대가 무책임하게 나오면 도려낸다. 냉정하다 할 수 있지만 그게 내 생존방식이다.

아무튼 이런 이유로 난 속을 알 수 없고 잘 드러내지 않는 사람을 기피하는 경향이 있다. 모든 게 선명해야 할 필요는 없지만 시간이 흘러도 아집의 베일을 벗지 않으면 그 관계에 넌더리가 난다. 정작

해야 할 말을 하지 않고 애매한 미소로 얼버무린다 거나 분명 사과sorry해야 할때 애먼 말로 넘어가려 하면 상대에게 질리고 만다. 그렇다고 내가 내 속을 다 오픈하는 건 물론 아니다 ,' 네 속을 다 보여주지 말라. 그들은 관심조차 없다'라는 말도 있지 않은가. 그래도 어느 정도 가까워지면 대체로는 문을 열어준 다.

우리가 친해지는 건 나의 약점weakness을 오픈하 면서 시작되는 건데 철갑을 두르고 꼼짝도 않는 상 대와 무얼 도모하고 약속한단 말인가. 그런 사이에 서 어떻게 우정이며 우애가 싹튼다는 건지 나는 도 통 모르겠다. 그럼에도 끊기지 않고 이어지는 걸 보 면 삶은 역시 불가지론적 차원이 것이라는 생각도 든다.

다시 외국어 이야기로 돌아가서, 언어 천재는 타 고 난다는 게 내 지론이다. 특히 구어 부분에서 뛰 어난 건 노력만으로는 안되는 것이다. 외국어를 듣 고 말하기만큼 고통스러운 것도 없다. 그럼에도 그들은 그것을 즐기지 않는가. 고로 무엇이든 임자는 따로 있다는 게 내 생각인데, 내가 그 임자가 아님을 알면서도 '좋아하고 즐긴다'는 이유만으로 나는 평생을 외국어에 매여있다. 그렇다고 지나온 시간을 후회하는 건 절대 아니다.

글이라는 어쩌면 조금은 질펀할 수 있는 늪에 빠져 허우적댈 때 영어 한마디의 심플함, 불어 한마디의 아름다움이 주는 위안은 가히 상상을 초월한다. 비록 내 통장 잔고는 빈약해도 마음만은 밀리어네어인 것이다.

그래서 사는데 한가지 놀이play쯤은 필요한 걸지도 모른다.

<흐린밤의 연가>

비가 오면 떠오르는 사람이 하나 있다. 오래전 잠깐 잡지사에 근무한 적이 있는데 그때 취재한 시인a 그 바로 그다. 그는 당시 학교 선생님을 하면서 시를 썼고 문인으로서의 입지를 굳혀나가던 중이었다. 비 오는 밤의 서정을 유려하게 풀어쓴 시가 있는데 당시엔 전문을 외우다시피 할 만큼 내가 좋아하고 아끼는 시였다.

그의 집에 들어서자 다소곳한 그의 아내가 먼저 우리 일행을 맞아주었고 이어서 그가 서재에서 나왔다. 소탈하고 맑은 느낌의 시인이었다.

다과를 대접받고 우리는 한 시간 정도의 인터뷰를 진행했다. 그는 자기가 쓰는 시만큼이나 조곤조곤, 진솔하게 인터뷰에 응했다. 시에 대한 열정, 교사로서의 자부심이 명확하게 드러난 시간이었다.

그러나 회사의 사정으로 그의 기사가 실린 호는

발간되지 못했고 그렇게 지연이 되는 동안 그는 내가 취재를 나간 사이 전화를 해서 항의를 했다고 한다. 뒤늦게라도 내가 전화를 해서 회사 사정을 이야기했어야 하는데 난 그럴 용기가 없었다. 아니 비겁했다.

자기 시 중 유독 아낀다는 그 비 오는 밤 시를 구절구절 해석해주며 음미하던 그 선한 눈빛을 여전히 잊을 수가 없다. 그 시는 마치 데카당파의 한 시인이 쓴 시처럼 깊은 우울과 삶의 허무가 동시에 묻어나면서도 지극히 아름다운 그런 시였다. 역시 시를 쓰는 사람은 산문을 쓰는 나와는 결이 다르구나, 느끼게 해준 그런 시였다.

결국 그 잡지는 폐간을 했고 이후로 나는 번역으로, 방송으로 방향을 틀었다.

지금 검색을 해보니 1943년생인 그가 아직 생존해있다. 여간 고마운 게 아니다.

무명 잡지 기자라고 해서 전혀 홀대하지 않고 진지하고 정중하게 맞아준 그에게 내가 한 짓을 잊지

못할 만큼 그의 시 속에 묻어나던 아름다운 음울함
은 더더욱 내 안에 깊이 남았다. 모든 건 때가 있고,
나는 '사과할 타임'을 놓쳤지만 이렇게나마 내 사죄
의 마음을 전하려 한다.

<흐린날의 동화>

 황사 때문인지 11층 내 집에서 내다보이는 국민
대쪽 풍경이 뿌옇기만 하다. 오늘 외출을 자제하라
는 안내문자까지 받고나니 더더욱 심란하다.

 어린 날 겨울 가고 봄이 오면 어김없이 불어오던
이 황사 바람을 난 꽤나 즐긴 거 같다. 그게 건강에
치명적이라는 걸 알 수도 없었거니와 누런 모래바람
이 주는 그 나름의 낭만이 있었던 듯하다.
 해서 황사라도 부는 날이면 수업 끝나고 곧바로
집에 오지 않고 일부러 놀이터에서 친구들과 해가
저물도록 기구를 타고 모래놀이를 해서 손이 트기도
하였다.
 나이 들어서야 황사가 호흡기에 치명적이란 걸 알
게 됐지만, 난 지금도 어린 날의 그 감흥이 남아있
어 조금은 반갑기도 하다.

 요즘 황사는 단순한 모래바람이 아닌 방사성물질,

석탄 오염물질을 동반하고 그 결과 산성비를 내린다고 한다. 그래서 우리 정부는 '사막에서도 재배가 가능한 감자, 고구마 따위를 개발해 중국 황사 지역의 마구잡이식 개발을 막아보려고' 하고 있다고 한다.

자연재해를 이야기하다 보니, 예전엔 곧잘 서울이 물에 잠기던 생각이 난다. 장마가 지면 곧잘 내가 살던 용산쪽이 물에 잠기곤 했고 그러면 난 제일 먼저, 오늘은 길이 막혀서 피아노 선생님이 못 온다는 생각부터 들어 좋아하던 생각이 난다. 당시 나는 동네 파출소 2층에 자리한 피아노 교습소에서 피아노를 배우고 있었다.

어느 날은 바로 골목 어귀까지 물에 잠겨 난 동네 오빠 등에 업혀 길을 건너기까지 했다. 그러다 신고 있던 슬리퍼 한 짝을 물살에 잃었고 그게 너무나 안타까웠다.

그랬더니 그 오빠는 '물 나가면 여기 어디 있을 거야'라며 나를 다독였다. 그리고는 며칠 후 정말 물이 나가자, 그 오빠 말처럼 내 노란 슬리퍼 한쪽이 길 건너편에 거꾸로 처박혀 있는걸 보았다. 그 순간의 반가움이란.

어릴 때는 이렇게 철없이 자연재해를 즐기기까지 했다. 그야 물론 그게 뭔지 모르는 무지에서 비롯된 거지만, 팍팍한 아스팔트가 물에 잠겨 장화를 신을 수 있는 날, 그리고 고무 대야를 타고 물바다를 건너던 날의 동화 같은 추억을 잊을 수가 없다. 황사 속을 바람개비를 돌리며 잔기침을 해대던 그 날의 나는 이제 어디로 갔을까...

성인이 된다는 건 어린 날의 감흥을 하나씩 놓는 일이다. 그럼에도 오늘 나는 외출을 할 거 같다. 어린 날과 달라졌다면 선글라스에 마스크를 착용한다는 것 정도. 그렇게 짧으나마 시간 여행을 해보고 싶다.

<잠깐의 인사가 불러온 이별>

　대인관계를 하다보면 간혹 오해를 살 때가 있다.
왠지 기분좋은 날이 있지 않은가. 불어오는 바람에
도, 흩날리는 꽃잎에도 '안녕?'하고 인사를 건네고
싶은 날...

　그래서 가끔 마주치는 얼굴이라도 만나면 '안녕하
세요'하며 생긋 미소를 지어 보이고 싶은 날이 있다.
그러면 대개는 반갑게 맞아주지만 가끔은 그걸 오해
해서, '쟤가 나한테 뭐 아쉬운 소리라도 할 게 있
나?'라든가 '쟤, 나한테 흑심 있는 거 아냐?'라고 자
기식으로 판단하고 선을 그어버리는 일이 있다. 그
러면 인사를 건넨 입장에서는 정말 억울할 뿐이다.

　뒤늦게 시작한 페이스북에 내 모교 후배가 추천
친구로 뜬 적이 있다. 그와 나는 학번 차이도 많이
나고 정말 일면식도 없는 사이였다. 그런데도 나는
그날따라 숙면 뒤의 평온함과 동문이라는 생각에 그

에게 친구 요청을 보냈고 그는 잠시 후 응답했다. 그렇게 관계가 잘 이어지나 하다, 어느 날인가 그가 모교 사이트에 글을 올려 나는 대학 시절을 회상하며 댓글을 달고 하트를 눌렀다. 그런데 공교롭게도 하트를 누른 사람이 그날따라 나밖에 없었고 그렇게 난 눈에 띄었다. 그런 흐름이라면 저쪽도 하트 내지는 답글을 달아주는데 그에게선 어떤 반응도 없었다. 난 괜히 오지랖을 부린 것 같아 머쓱해지고 그렇게 사이트를 나와 내 일을 하다 다시 페북을 찾았더니 친구가 줄어 있었다. 보니, 그가 나가버린 것이다. 아니. 동문이 전하는 근래 학교 소식이 반가워 하트를 날리고 댓글을 단 것뿐인데 거기서 부담을 느꼈다니 ...

   요즘은 어떤지 몰라도 해외에 나가면, 특히 서구권에서는 모르는 사람들끼리도, hi 하고 인사를 한다고 한다. 글로벌시대에 우리의 인식이니 행동도 많이 세련돼졌으려니 하지만 위에 든 페북 사태?만 봐도 그렇다고 단정할 노릇은 아닌 것 같다.
   정말 반가워서 난 인사를 건넨 것뿐인데 그게 이

별로 이어질줄이야...

이래서 세상사는 모른다는 게 맞는 말이고 이젠 나도 조심해야겠다는 생각이 든다. 내가 사는 공간의 정서가 이럴진대 나 혼자 나이브해 봤자 나만 이상한 사람 취급을 받으니 . 그 어떤 것도 바라지 않고 건넨 말 한마디에 이렇게 상처를 받을 바에는...

아무튼 우린 조금은 더 오픈될 필요가 있다. 그렇다고 잘 알지도 모르는 이에게 내 속내를 다 까발릴 필요야 없지만, 간단한 인사 정도는 나눌 수 있어야, 그래야 사는 맛이 나지 않겠는가.

누구나 자기만의 욕망과 삶의 계획에 치어 피곤하고 힘들게 산다. 그럴 때 산들바람처럼, 청초하게 건네오는 인사 한마디가 있다면 그걸 곡해하지 말고 있는 그대로 받아들여주면 좋겠다.

만나고 헤어짐이야 세상의 이치고 인연론에 따르겠지만 서로가 살아있다는 사실만으로도 기쁘고 축하해줄 일이다. 반갑게 건네오는 인사 한마디 있으면 나도 그에게 따뜻한 인사나 미소 한 번쯤 선물하는 건 어떨까, 싶다.

어스름 무렵의 童話

<문학의 두 얼굴>

작가마다 글, 특히 소설 같은 산문을 쓰는 방법이 다를듯하다. 특히 내가 경험해보지 못한 직업군을 쓸 때는 취재를 하든 관련서를 읽든, 해야 하는데 나는 주로 인터넷이나 책을 보는 편이다.

오늘 내 까페에 올린 신간을 읽으며 직접 현장을 발로 뛴 다음에 나오는 글의 힘 같은 걸 느꼈다. 여성 쉼터를 운영하는 이들과 그 땅을 노리는 이들 사이의 기 싸움, 뭐 이런. 우리 안의 허위의식을 극명하게 드러낸 책이다.

취재, 하니 예전에 현장 답사라고 갔던 일이 떠오른다. 그때 단막극을 쓰는데 pd가 왕고참이었다. 신인을 데리고 작업한다는 게 미덥지 않았는지 현장을 가보자고 했고, 그렇게 충청도 어디쯤의 저수지로 우리는 향했다.

서울에서 두시간 정도 거리에 있는 그곳에 도착했을 땐 여름 해가 기승을 부리는 오후였다. 나는 예의 차린다고 긴팔 옷을 입고 가서 덥기도 했거니와 동행이 편한 상대가 아니다 보니 스트레스도 만만치 않았다.

아무튼, 그렇게 저수지에 도착한 그는 여기저기를 가리키며, 잘 봐두라구...직접 보는거랑 상상으로만 쓰는게 다르니까, 라고 했다.

그렇게 현장을 갔다 와서 나는 수정에 들어갔는데 갔다온 게 그리 도움이 되지 않았다. 해서 내 상상 속 저수지를 떠올리며 수정을 했고 그걸 본 pd도 별 꼬투리를 잡지 않았다.

그때 동행한 스크립터와 점심을 먹다 그 저수지 얘기를 했더니 그런 작가가 많다는 얘기를 했다. 보조작가들이 아무리 취재를 해다 줘도, 하나도 안 쓰고 자신의 상상으로 쓰는 이들이 많다고. 그런데 작품은 잘 나온다고.

글의 성격에 따라 다르겠지만, 쓰는 방식은 이렇

게 천차만별이고 효용성도 저마다 다른 듯하다.아무
리 온 세상을 떠돌고 난 뒤 쓴다 해도, 문밖 한 걸
음도 나가지 않고 상상으로 쓴 사람의 이야기가 더
정치할 수도 있는 게 문학이고 그 지점이 문학의 메
리트인듯 싶다.

<안개비>

내가 다닌 대학은 교정이 정말 조막만 했다. 그래선지 유난히 cc가 많았다. 것도 롱런하는 커플이 많았는데...

그중 한 커플이 유난히 기억에 남는다. 책만 파던 a와 야간수업을 듣던 b가 그들이고 졸업하는 대로 결혼하겠지, 그런 느낌을 주었다.

그러다 둘이 잠깐 헤어진 적이 있고 나는 b와 학교앞 호프집에서 맥주를 마신 적이 있다. "남친 소개해줄까?"했더니 b는 마지못해 "있어 누구?"하는 거였다. 그 정도면 감을 잡고 진중하니 있었어야 하거늘 나는 기어코 타 대학 친구를 통해 누군가를 소개시켜 주었다. 물론 잘 안 됐지만.

그런데 민망하게도 헤어진 지 보름 후에 a와 b는 다시 만났고 어느날 a가 내게 다가와 "소개팅 해줬다며?"라고 묻는 것이 아닌가.

어느 정도 가까워지면 남의 시선 아랑곳없이 손을 잡거나 스킨십을 하는게 목격될 만도 한데 그 둘은 늘 일정 거리를 유지하며 다녔고 그럼 난 농담처럼 "니들 언제 손 잡냐?" 하면서 놀려대곤 했다. 그러면 b의 얼굴이 수줍음에 발갛게 되곤 했다.

그러다 졸업이 다가오고 b는 j항공에 합격해 곧바로 사회로 나갔고 a는 대학원에 진학해 공부를 계속했다. 졸업 후엔 나도 내 생활이란 게 있어 그들을 잊고 지내던 차에 우연히 학교 갈 일이 있어 조교로 있는 a를 찾아봤더니 그는 오랫만이라며 반기면서 나를 맞아주었다. b하곤 언제 결혼해? 라고 하자, 그는 멋쩍어하며, 헤어졌어 우리..라고 대답했다. 그렇게 붙어 다녔음 결혼해야지,라고 했더니,,. 그러게..라며 민망해 했다.

그렇게 2,3년이 흐른 어느 날 지하철을 타려는데 b가 저만치 승강장에 서 있는 게 보였다. 난 이름을 부르며 다가갔고 b도 한눈에 나를 기억해냈다. b는 그날이 일요일임에도 근무라며 이제 퇴근한다고 했다. 나는 무심코 "너 결혼 안 해?"물었더니, 안 그래도 그 다음 달에 한다고 했다. 같은 j항공 직원이고 홍보사진에도 나와있다며 슬쩍 자랑을 하였다...결국 a와는 그렇게 끝난 거구나,조금은 허탈했다.

그리고는 또 몇 년이 흐른 어느날, a가 안부 전화를 해와 나는 그를 시내에서 만났다. 하필 비가 오는 날인데 그가 우산 없이 나와 내 우산을 같이 쓰고 인사동 어딘가를 걸었다. 안개비였다. 아득한 그리움이 소환되는 ...

그러다 문득 우리는 b의 이야기를 하게 되었다. 건너건너 그녀의 소식을 듣고 있던 나는 그녀가 아들을 낳았다는 이야기를 언젠가 들은 적이 있다. a는 모든걸 알고 있노라 했다 .그리고는 이어진 침묵...

우린 인사동 어느 찻집에 들어가 마주 앉아 전통차를 마셨는데 a가 문득 "내 여잔 줄 알았는데.." 라고 했다. 순간 b를 언급한다는 걸 깨닫고 나는 조심스러워졌다. "니들 헤어셨잖아.."라고 했더니, 그는 "

그래도 내 여자라고 생각했어...돌아올 줄 알았거든"
이라며 시선을 유리문 밖으로 돌렸다. 그를 따라 나
도 밖을 보니 들어설 땐 몰랐는데 작은 화분 하나가
밖에서 비를 맞고 있었다. 난 무심코 "추억 같아"라
고 했다.

그말에 a는 빤히 나를 쳐다보았다. 멋있다. 다시
말해 봐...
뭐. 추억같다는?
응...

그 뒤로 a는 불어과 여학생과 결혼해 내리 아들만
둘을 놓고 지금은 지방대 영문과 교수로 지내고 있
다.

가끔 모교를 가보면 많이도 변해있는 걸 확인한
다. 내가 다닐 때는 곧잘 연합 집회라는 걸 해서 타
대학에서 죄다 우리 학교로 몰려와 시위를 했는데
그때마다 전경과 대처하던 모습, 그 덕에? 빈약한
학교 담벼락이 허물어지곤 하였다. 좀 크고 돈 많은

부자학교에서 모이지 왜 하필이라며 안타까워 하기도 하였다.

그 작은 교정에서 이런저런 사랑의 꽃들이 피었다 졌고 지금도 아마 그럴 것이다.

떠난 연인을 오랫동안 "내 여자"로 믿고 있는 또 다른 a들이 아직도 존재할까,라는 의문이 든다.어쨌든 a와 b 둘 다 잘 사는 걸로 결말이 나서 그나마 다행이다 헤어지긴 했어도.

예전엔 학교 안에 자그마한 동산이 있었다. 지금은 건물이 들어섰지만. 갑자기 비라도 만나면 비를 피해 그곳으로 달려가던 그 젊은 날이 아득한 꿈같기만 하다...

<삶은 통속하거늘>

나의 사춘기는 라디오 심야 프로와 함께 했다고
해도 과언이 아니다. 그중에서도 음악프로를 즐겨
들었고 지금 나의 대중 음악 지식이란 그당 시 주
위 들은 게 전부다.

책을 보다가도 tv를 보다가도 내가 듣는 프로가
시작될 시간이 되면 어김없이 주파수를 맞추고 오프
닝 음악을 기다렸다. 그렇게 한 두시간 동안 나는
상상 여행을 한 셈인데, 팝이 나올 때는 퇴락한 브
루클린 어딘가를, 샹송이 흘러나오면 파리의 뒷골목
을 떠돌았다.

당시엔 엽서로 신청곡을 받는 게 다반사였고 나는
거의 매일 엽서를 써서 보냈다. 그러다 보니 어느새
단골 팬으로 인식돼 자잘한 선물도 받곤 했는데 해
당 프로의 로고가 새겨진 펜류가 가장 많았던 것 같
다. 나를 따라 하던 한 친구는 통 크게 자전거를 타

내서 한동안 나는 질투에 빠져 살았다.

그리고 연말이면 명동 어디쯤에서 '예쁜 엽서 전시전'이라는 게 열려 수천 수만 장의 청취자 엽서가 전시되고 그중 예쁜 엽서에는 제법 푸짐한 상금과 상품도 주어졌다. 물론 나는 한 번도 타본 적이 없지만, 그 전시회가 열리면 친구들을 끌고 명동으로 가곤 하였다.

그때, 난 평생 들을 음악을 다 들은 셈이고 그것은 대학 시절까지 이어져 미팅 상대자에게 음악 얘기만 줄창 해대 질리게 만든 적도 여러번이다.

내가 그리도 음악에 미쳐 돌아가자 부모님은 무리해서 명품 오디오까지 사주셨다. 우리 형편으로는 가당치도 않은.

그런데 지금 나는 그 명품 오디오가 어딨는지 조차 모른다. 버렸는지 창고에 처 박았는지...

시간과 함께 모든 건 변질됐고 퇴색됐다. 나의 음악에 대한 열정도 사그라들었고 그 자리를 이런 저런 삶의 편린들이 채웠다. 그래서 박인환의 그 구절

을 좋아하는지도 모른다. '인생은 통속하거늘...'

어스름 무렵의 童話

<문학 노동>

코로나 상생 지원금이라는 명목으로 한참 돈을 주고 할때 예술인들도 특정 조건만 되면 돈을 준다고 해서 살펴본 적이 있다. 결과는 말뿐이지 유명무실했다. 예로, 3-6개월 이내 창작활동을 통한 수입을 증명할 자료제출, 뭐 이런 조건인데 그렇게 수시로 돈을 벌면 굳이 왜 지원금에 의존하는가, 하는 생각이 든 것이다.

왜 유독 글쓰기는 노동으로 인정받지 못하는지 모르겠다. 꼭 출간이나 게재가 돼야만 돈이 들어오는 현실을 이상하게 생각해 본 적은 없는가? 이런 글을 쓰는 나 역시 그것을 당연시 해 온 것 같지만 노동절을 맞아 문학인도 당당한 근로자로 인정받아야 한다는 생각을 해보기로 하였다.

할 일 없으면 공부나 해라라고들 한다. 그만큼 책과 관련된 일은 신생이니 교수니 하는 기존의 제도

속에 있지 않는 한 그저 한량이나 백수 취급을 해온게 사실이다. 그러나 책 읽는 게 쉬운가. 더더욱, 글쓰기는 쉬운가. 그럼에도 왜 이렇게 문학은 폄하되는지 모르겠다.

물론 정해진 시간 동안 답답한 사무실이나 현장에서 상부의 지시를 받아가며 하는 일과는 거리가 좀 있지만 , 출간에 들어간다 치면 작가 역시 담당 편집자의 요구와 지시에 따르게 된다. 그렇게 해서 힘들게 약간의 돈이라도 들어오면 그것은 곧 '불로소득'처럼 인식돼서 친구들로부터 '밥 사라는' 이야기를 자주 듣게 된다. 마치 횡재라도 한 양.

글을 써본 사람은 알지만, 아무리 짧은 엽편소설을 쓴다 해도 그 과정은 지난한 것이고 어느 정도의 내공까지 필요로 한다. 수많은 독서와 피나는 습작기를 거쳐야 가능한 일이다. 그럼에도 작가는 백수와 다를 바 없다는 인식이 팽배하니 그것이 안타까울 따름이다.

문학을 비롯한 예술인들의 권리보장과 편의를 위한 단체가 몇몇 있긴 해도 그것 마저 '그들만의 리그'인 경우가 많다.

유명이든 무명이든 문학인에 대한 사회의 인식은 분명 달라져야 할 부분이며 그래서 이것도 당당한 직업으로 인정받아 생계를 보장해주는 급여체계와 각종 사회적 혜택이 마련돼야 한다.

그렇다면 문학인 스스로도 '끄적이는 차원'의 글쓰기를 넘어서는 부단한 노력이 필요하다고 본다.

<순정이>

언젠가 이런 말을 들은 적이 있다.

'메디슨 카운티의 다리 같은 영화좀 보고 순정적이고 아름다운 사랑을 좀 하려고 해봐'

물론 나도 이 소설과 영화를 다 보았다. 무엇이 순정적이고 아름답다는 건지 모르겠다.

남편이 부재한 며칠, 외간남자와 놀아난 애기가 그토록 애틋하고 아름다운가?

사랑과 불륜, 이런 걸 굳이 나누려는 건 아니지만 이 영화는 그저 그런 치정 이야기 아닌가? 물론 내가 받은 인상이 그렇다는 것이다. 치정이 어떻다는 게 아니다. 닥터 지바고도 결국은 치정 이야기다.

문제는 금기를 그릴 때는 고난도의 포장과 다양한 장치, 테크닉이 필요한데 이 영화는 결정적으로 그런 것들이 빠져있어 슬프지도 애틋하지도 않았다. 나이 든 배우들의 보기 민망한 애정신만이 기억에 남았다. 이 영화에 감명받은 분들께는 미안한 말이다.

20세기 헐리웃을 대표하는 여배우 메릴 스트립의 열연에도 불구하고 이스트우드와의 애정행각은 그닥 운명적이지도 아름답지도 않았다.

고닉의 말처럼 '이제 사랑은 끝나고 애매한 우정만 예감되는' 삭막한 시대를 살아서 그런지도 모른다.

솔직히, 순정적 사랑이 이 세상 어딘가에 있다면 당장이라도 수소문해 찾아가고 싶다.

내게 그런 말을 한 그는 오래전 안타깝게 어긋난 한 여자를 아직도 가슴에 묻고 있다. 그만이라도 그렇게 순정적 사랑을 믿었음 하는 바람이다.

<오컬트 읽는 여자>

지금 오컬트를 소재로 한 소설을 읽고 있다. 작가 p는 번역, 평론, 칼럼까지 쓰는 다재다능한 사람이다. 그녀의 번역물 중 비속어가 다량 섞인 찰스 부코스키의 책이 가장 기억에 남는다. 저걸 어떻게 ,것도 여성이 번역을 해냈을까, 싶던.

지금 읽는 소설은 오컬트와 현실이 교차하는 방식으로 전개된다.

오컬트는 대강' 서양 전통사회에서 주술, 문헌으로 전해져 내려온 초자연세계의 원리와 규칙에 대한 믿음'으로 정의된다. 흔히 '영매가 등장해 저승과 이승을 연결'해주는 등의 구성요소들이 있는 걸로 안다.

요시모토 바나나의 단편 <달빛 그림자>에도 오컬트적 도움으로 죽은 애인과 여주인공이 재회하는 장면이 그려진다. 바나나 같은 캐릭터라면 오컬트 세계에 매료될 만도 하다는 생각이 든다. 인간사를 해탈한듯한 그러면서도 포악한 부분을 예리하게 그려내기에 초자연적 세계에서 위로를 받으려는 건지도 모른다.

p의 소설은 이제 막 읽기 시작해 단정짓긴 어렵지만 조금은 유치해도 신선하다. 전생의 인연이 뒤늦게 재회하였는데 아마도 보험사기를 노리고 접근한 것이라고 여기는 세속적 잣대가 흥미롭고 이후 전개가 궁금하다.

작가가 무엇인가를 쓸때는 대강의 틀이나 장르를 선택하게 되는데 나도 가끔은 초자연적 세계를 그려보고 싶다는 생각이 든다. 영매까지는 등장하지 않더라도 심리적 판타지 정도는 시도해 보고 싶다
그런 식으로나마 전생의 연을 다시 만나 애틋하고 순한 연애단계를 거쳐 온전한 결합에 이르는 그 과정을 몽롱하고 신비롭게 그려보고 싶다.

어스름 무렵의 童話

<악의 미소>

어제에 이어 오늘도 하루키 인터뷰집을 읽고 있는데, 2차 대전 후 독일과 일본을 예로 들면서 그들이 가해자에서 피해자로 둔갑할 수 있었던 것은 '그들 역시 다른 누군가에 속아서 피해를 봤다'고 책임 전가를 하기 때문이라고 한다. 즉 개개인의 악행을 '군부'의 잘못으로 돌린다는 것이다.

이렇게 가해자가 피해자로 둔갑하는 일은 일상에서도 흔하다. 죽어라 누군가를 학대해놓고 너 때문에 내가 마음이 아프니 내가 피해자다, 라는 논리가 그런 것이 아닐까?

친구 하나를 정말 오랜만에 만난 적이 있다. 그 친구와 끊어진 것은 명백히 그 친구의 잘못이었고 그러니 내가 피해자인 셈이다. 그러나 시간도 흘렀고 험한 기억일랑 묻고 가고픈 마음에 만나기로 했고 밥을 사면서 지내온 이야기를 했다.

그러나 그 후 전해 들은 바에 의하면 그 친구는 나와의 재회가 부담스러웠고 예전에도 피해자는 자기였다고 떠들고 다녔다는 것이다.

내게 가한 위해도 아닌 내 가족에 위해를 가해놓고 그에 대해 내가 몇마디 해댄 걸 트라우마 운운하니 정말 뻔뻔스러워서 다시 우리는 단절되었다.

그런 심리일지도 모른다. 연애하다 버린 여자(남자)와 마주치기 싫은 심리. 내가 버린 다음 참혹해진 그녀를 봄으로서 나의 행위가 반추되는 것을 피하고픈.

우리는 곧잘 미안하다는 말 대신 책임을 전가하고 너 때문에 내가 피해를 봤고 마음을 다쳤다는 적반하장식의 말을 곧잘 듣는다. 그 말을 듣고 있으면 그 나름의 논리라는 게 있어서 상대의 악행은 유야무야 되기도 하고 구역질 나는 화해에 이르거나 아니면 가해자/피해자의 위치가 슬쩍 뒤바뀌곤 한다.

왜 우리는 자신의 잘못을 솔직히 시인하지 못하는 걸까? 가해자로 영원히 각인될까봐? 아니면 아예 미안한 마음이 없으므로?

하루키가 말하고자 하는 바 중의 하나가 인간의 '악'에 관한 이야기임을 이렇게 새롭게 배우고 있는 중이다

<결혼의 베일>

결혼이 꼭 사랑의 결실이라고는 단정짓기 어려운 것 같다. <위대한 개츠비>를 쓴 핏제럴드와 그의 아내 젤다의 사연 많은 러브스토리는 유명하다. 둘은 처음에 약혼까지 했다가 핏제럴드가 무능하다는 이유로 파경을 맞았고 이후 핏제럴드는 작가로서 입지를 굳히면서 다시 청혼, 결혼에 이른 케이스다.

한번 파혼까지 당한 핏제럴드가 얼마나 젤다를 사랑했으면 그랬을까 싶지만, 그녀와 결혼할 당시 핏제럴드는 그녀를 사랑하지 않았다고 한다. 단지 젤다가 남의 아내가 되는 것만은 참을 수 없었다고 한다.

그렇게 둘 사이에선 딸도 태어났지만 핏제럴드는 이후 다른 여자와 사랑에 빠져 죽을 때까지 그 상태는 계속됐다.

이처럼, 복잡한 연애를 종결짓는 의미의 갈무리식 결혼도 적지 않은 것 같다. 아는 사람 하나는 연애

시절 남자가 경제력이 없어 계속 생활비를 대주다 지쳐서 포기할 즈음 남자로부터 청혼을 받고 마지못해 결혼에 이르기도 했다.

그 속사정까지야 내가 알 수 없지만, 다 지쳐서 '결혼'으로 종결되는 경우도 적지 않다.

그 속에는 물론 어느 정도의 책임감이라는 그 나름의 긍정적 요소도 작용하겠지만 자포자기적 측면이 분명 존재한다.

어떤 식으로든 일단 결혼이란 걸 하고 나면 복잡한 상황은 어느 정도 종료되고 그때부터는 새로운 삶이 시작되는 셈인데 그렇다면 그렇게 결혼에 이른 사람들이 결혼 후에는 잘 사는 가 하는 건 또다른 문제인 것 같다. 예로 연애 시절 여자 문제가 복잡한 남자는 결혼 후 오히려 내놓고 바람을 피우는 경우가 더 많아지고 연애 시절 폭력을 휘두른 경우 역시 결혼 후 더 심해지는 경우가 많다.

우리는 왜 일생일대 가장 큰 결정인 결혼이란 걸 이렇게 어리석게 결정하고 마는가, 라는 의구심에 빠지지만 딱히 대안이 없어서이기도 할 것이다. 자기를 힘들게 하는 그 남자(여자)외에는 다른 대안이 없어서. 아니면 '친숙한 대상'이 그래도 '편하다'는 이유 때문일 수도 있다.

참고로 핏제럴느는 아내 젤다의 재능을 질투해 그녀의 글을 약간의 수정을 거쳐 자기 것으로 내기도 했다고 한다. 핏제럴드의 문우인 헤밍웨이가 젤다를 무척 싫어했다는데 그녀가 과연 배운 것 없고 가진 것 없는 여자였어도 그랬을까, 하는 의문이 남는다. 아마도 헤밍웨이도 남편인 핏제럴드처럼 그녀를 시기한 건 아닐까?

20세기 미국 지성사를 대표하는 이 두 사람마저 '잘난 여자''에 대한 폄하와 질투라는 스펙트럼에서 크게 빗겨나 있지는 않았던 듯하다.

젤다 핏제럴드

어스름 무렵의 童話

<겨울 호수>

어느 해 겨울 곧 해외로 출국할 친구와 함께 일산
호수공원을 가본 적이 있다. 겨울의 호수는 스산했
고 마침 눈발도 날려 우리는 음울함에 취해 한참을
걸었다. 기온도 영하 10도 이하로 떨어져 호수는 얼
어있었고 사람도 거의 없었다.

그렇게 우리는 하얀 입김을 내뿜으며 호수를 한
바퀴 돌았다. 하지만 둘 중 누구도 걷기를 멈추고
그만 돌아가자는 이야기는 하지 않았다. 그만큼 겨
울 호수는 장엄한 비장미를 뿜어내고 있었다.

그 친구는 지금 멕시코에 정착해 살고 있고 지금
나와는 소원해졌다. 하지만 우리가 함께 스페인어를
배우고 남미여행을 계획하고 호수에서 2인 자전거를
타고 겨울 호수의 낭만에 함께 취했던 일은 아름다
운 추억으로 남아 영원히 서로를 응원하고 있다.

그날 그렇게 겨울 호수를 감상하고 우리는 정자에

어스름 무렵의 童話

잠시 앉아 이런저런 이야기를 나눴는데 안타깝게도 그 내용은 떠오르지 않는다.

내가 만약 이번에 그쪽으로 이사를 간다면 꼭 겨울 호수를 보겠노라 다짐한다. 그때가 그리워서가 아니라 그때의 내가 보고파서이다. 미래는 불투명하고 연애는 꼬여 있고 친구와 함께 남미여행을 약속해놓고 파기했던 용기 없고 비겁했던 나에 대한 반추, 그럼에도 젊은 날의 향수에 기인할 수 있다.

설령 그곳으로 이사를 가지 못해도 그 겨울의 호수는 내 안에서 얼었다 풀렸다를 반복하면서 삶의 새로운 물꼬를 터주고 있다.

올 겨울, 다시 한번 그 호수를 돌고 싶다.
그때 동행이 있을지는 몰라도, 혼자만의 여정이어도 그리 외로울 것 같지 않다. 내게는 그와 관련된 추억이 있고 친구의 나직한 음성이 있고 그때 품었던 막연하나마 아름다운 꿈이 있었기에.

어스름 무렵의 童話

<어스름 무렵의 童話>

　지금은 비싸서 살 엄두도 나지 않는 갈치가 나 어
릴 때는 싸구려 생선이었던 것 같다. 돈없는 엄마가
늘 해주신 걸 보면...
　갈치는 역시 밥 위에 얹어야, 그것도 물만 밥 위
에 얹어 먹어야 제맛인 듯 하다.

　그런가 하면 1년에 한 번 정도 먹던 소 불고기 맛
은 정말 말 그대로 꿀맛이었다. 엄마는 재래식 부엌
흙바다에 쪼그리고 앉아 연탄불에 고기를 구워주시
며 익는대로　언니와 내게 빨리 먹으라고 재촉을 하
셨다. 그러면 우리는 뜨거운 고기를 입안에 넣고 혀
를 데여가며 제대로 씹지도 않고 넘기곤 했다.

　그리고 어린 날 또다른 추억의 먹거리라면 역시 '
뽁기'를 빼놓을 수 없는데 뽁기 아저씨는 주로 다
저녁이 되면 연탄 가게 앞에 출몰해서 좌판을 벌리
곤 했다. 요즘은　온라인　쇼핑몰에서 주문까지 가

능하지만 그 때는 삼삼오오 둘러앉아 아저씨가 반죽하는 모습이며 갖가지 모양을 만들어내는 걸 신기해하며 보는 게 큰 즐거움이었다.

먹는 얘기를 쓰나보니 생각나는 게 있다. 난 낭시파출소 2층에서 피아노를 배우고 있었는데 그 선생님이 자장면을 좋아하셨다. 해서 내 수업이 끝나고 나올라치면 종종 "가다 자장면 한 그릇 시키고 가거리"하시는 거였다. 그게 어려웠다는 게 아니고, 중화요리 집의 음산함이 난 무서웠다. 늘 손님 없이 빈 테이블이 죽 늘어선, 그 위를 덮고 있는 붉은색 테이블보가 나를 두렵게 했다. 해서 아직도 나는 중화요이를 꺼리는지 모른다.

그때도 그랬다. 그래서 중국집에 얼굴만 들이대고 "파출소 2층, 짜장면 하나요!"라고 외치고는 후다닥 도망치듯 돌아서곤 하였다.
주인 할머니의 발을 보며 어린 나이에도 저런게 '전족'인가보다 했던 기억이 있다. 흰머리를 뒤로 묶어 올리고 늘 검은 중국 전통 복장에 작고 흰 고무

신을 신고 가게 안 어디선가 툭 튀어나오던 마치 한 낮의 유령같던... 저러다 중국어로 말이라도 걸면 어쩌지 하는 두려움에 나는 그렇게 줄행랑을 치곤 했다. 외국어를 좋아하는 나도 아직 중국어는 익히지 않고 있다. 태생적으로 나와는 맞지 않는 느낌이랄까, 아니면 이런 어린날의 두렵던 기억 때문에.

지금 그 주인 할머니는 아마 이 세상 분이 아닐것이다. 그리고 나에게 자장면 주문을 시킨 그 선생님도 아마 지금쯤은...

조금 전 냉동고에서 얼린 햄버거 빵 위에 소스를 가득 발라 탄산수에 먹다 보니 이렇게 먹는 이야기를 쓰게 된 것 같다. 아무튼 내 안에 해가 지는 무렵의 그 중국집은 일종의 공포였다.

어스름 무렵의 童話

<소멸>

내 주위에는 만성두통으로 힘들어하는 사람이 많다. 나는 가끔 귀 문제로 몇 년에 한번씩 한 일주일 고생하는 게 다여서 그나마 다행이다.

두통, 어지럼증은 정밀 검사를 해봐도 딱히 병명이 나오지 않는 경우가 대부분이다.

절친 하나는 두통이 심해 구토까지 한다고 한다. 언니도 이따금 두통이 시작되면 3,4일은 꼼짝도 못한다.

이렇게 우리는 저마다 하나씩의 폭탄을 안고 살아간다는 생각이 든다. 언제 폭발할지 모르는.

나의 폭탄은 삶에 대한 기대와 희망이고 그것 때문에 수시로 상처받고 낙담한다. 우리 모두 하루살이 존재다.

어느 지인은 등산 갔다 나뭇가지에 살짝 머리가 스치기만 했는데 걷는 데 보행에 왔다고 한다.

어스름 무렵의 童話

오늘도 무탈히 노트북을 열고 아침 글을 쓰는 이 루틴에 감사한다. 그런 의미에서 오늘은 계속 미뤄온 일들을 마무리하려고 한다. 처리하고 매듭지어야 할 게 많다.

그리고나서는 석탄일이고 해서 집 앞 경국사라도 구경 갈까 생각 중이다. 너무 붐빌 것 같으면 내일이라도. 고요한 경내를 걸으며 이승의 이런저런 고통과 인내를 되새김하며...

어스름 무렵의 童話

어스름 무렵의 童話

발   행 | 2024.5.30
저   자 | 박순영
펴낸이 | 로맹
펴낸곳 | 로맹
출판사등록 | 2023.12.14
주   소 | 서울특별시 성북구 보국문로 30길15
이메일 | jill99@daum.net

ISBN | 979-11-93896-11-2
정가 | 14,000원
www.romainpublish.modoo.at

어스름 무렵의 童話